Le silence du bourreau

DU MÊME AUTEUR

Le portail, Éditions de la Table Ronde, 2000 ; Folio, 2002.
Le Saut du varan, Flammarion, 2006 ; Folio, 2008.

François Bizot

Le silence du bourreau

Flammarion

Le silence du bourreau de François Bizot
est aussi disponible en version numérique.
© Flammarion, Susanna Lea Associates/Versilio, 2011.
ISBN : 978-2-0812-4316-3

En effet, « reconnaître » quelqu'un, et plus encore, après n'avoir pas pu le reconnaître, l'identifier, c'est penser sous une seule dénomination deux choses contradictoires, c'est admettre que ce qui était ici, l'être qu'on se rappelle n'est plus, et que ce qui y est, c'est un être qu'on ne connaissait pas ; c'est avoir à penser un mystère presque aussi troublant que celui de la mort dont il est du reste la préface et l'annonciateur.

Marcel Proust, *Le Temps retrouvé.*

Que si j'étais placé devant cette effigie
Inconnu de moi-même, ignorant de mes traits,
À tant de plis affreux d'angoisse et d'énergie
Je lirais mes tourments et me reconnaîtrais.

Paul Valéry, *Mélange.*

PHNOM-PENH, 8 MAI 2009

— Monsieur François Bizot, pouvez-vous décrire ce que vous avez vu au Camp de sécurité M.13 durant votre détention jusqu'à votre libération et votre retour à Phnom-Penh ?

— Certainement, monsieur le Président. Je souhaiterais néanmoins commencer par l'un des derniers épisodes de ma détention au Camp de M.13. La veille de ma libération, le 24 décembre 1971, je fus autorisé par l'Accusé, Douch, à offrir un repas d'adieu à mes congénères rivés l'un contre l'autre aux tringles. Apportant moi-même les récipients de soupe au poulet obtenue grâce à l'argent qui m'avait été confisqué au moment de mon arrestation, je me suis approché de chacun d'eux. Ceux qui osèrent parler me dirent : « Camarade français ! Ne nous oublie pas, s'il te plaît. »

Aujourd'hui, c'est Douch l'accusé, et c'est lui qui se trouve attaché à une tringle, si l'on peut dire ainsi. Qu'il me soit permis, en cette circonstance, d'évoquer la mémoire des prisonniers de M.13, dont le souvenir ne me quitte plus. Et en particulier de mes deux collaborateurs, Ung Hok Lay et Kang Son, qui ont été exécutés plus tard, dans un autre camp, parce qu'ils avaient travaillé avec moi.

C'est en leur nom à tous que je veux témoigner aujourd'hui.

I

1963 – SARAH

« Bar-le-Duc ! Bar-le-Duc ! Huit minutes d'arrêt. »
L'entrée d'un train en gare me fait chaque fois
songer à une roue de loterie en fin de course ; le
défilement des images ralentit, la fenêtre s'immobilise au hasard. Je me rappelle la scène comme si
c'était hier. La pénombre avait déjà le froid des
brouillards de l'automne. Une petite pluie glaciale
réfléchissait la lumière des ampoules jusqu'au bout
du quai. De là s'échappait une rampe qui donnait
sur la voie. J'ignorais encore que j'allais m'y glisser
pour accéder au ballast. Ma vie s'est arrêtée une première fois ce soir-là.

J'étais avec ma mère, mon père venait de mourir,
nous allions chez ma sœur. Sarah se retranchait dans
mes bras, inquiétée par le bruit. Elle ne sortait plus
guère depuis que je l'avais ramenée de Colomb-
Béchar et confiée à mes parents. Avec ses grandes
oreilles anguleuses, ses yeux de braise, sa queue à
longs poils, son instinct sauvage, elle reniflait tout à
petites enfilades mouillées de son minuscule museau,
prête à se dérober d'un bond.

Jolie, elle l'était plus que tout. Je me serais battu pour elle. Les mœurs de mes compagnons de la 711ᵉ CT m'étaient familières, mais les siennes me l'étaient bien davantage, jusqu'à ses plus étranges marottes. La nuit, je lui ôtais son collier et nous dormions dans le sable sous la même couverture. Après mon service militaire, j'étais resté si attaché à elle que mon père s'en occupait de bon gré pendant que je partais en vadrouille. Il la gardait avec lui au bureau, sous la table à dessin, où il avait aménagé un morceau de lino qu'elle fouillait en jappant pour reconstituer son terrier. Elle s'apaisait en sa présence mais mordait les doigts de ma mère.

« Qu'est-ce qu'on va faire maintenant avec le petit fennec ? Je ne sais pas comment je vais pouvoir m'en occuper toute seule », s'était inquiétée ma mère tout à coup, à la sortie du cimetière.

En un clin d'œil, je m'étais éclipsé dans le froid de la station de chemin de fer. J'avais perçu que l'étroit passage qui descendait de la plate-forme circulait le long d'une voie sourde à tout ce qui pouvait se perpétrer sur ses bords. Je me souviens avoir imaginé l'air perplexe des cheminots qui tomberaient tôt ou tard sur sa douce peluche blonde. Revenu rapidement, comme on sort d'un cloaque, encore submergé par le brutal dégoût de ce que je venais de faire – une mixture d'impressions saisissantes, à la fois de force brute, de défi, d'épouvante, que dramatisait le décès de mon père –, mes yeux s'étaient remplis de larmes.

À l'instant où j'écris ces lignes, je suis à nouveau envahi, au plus intime de moi-même, par la même répugnance que celle qui avait dévasté ma confiance ce jour-là.

Ma mère n'eut pas à me regarder deux fois pour aviser le sang sur la manche de mon pardessus. Je sentis ses yeux se poser sur moi, se concentrer en plusieurs points de mon visage, comme pour découvrir quelqu'un, prendre la mesure de l'homme que j'étais devenu et peut-être aussi, la pauvre, de sa responsabilité dans ce qu'elle commençait à comprendre.

Déjà, du vivant de mon père, il allait de soi que je ne resterais pas en France : ce n'était pas là que s'offraient pour moi les prémices de la vie dont je rêvais et pour laquelle j'étais impatient de tout changer. J'assumais sereinement cette volonté de partir loin, comme une exigence naturelle, dans l'un de ces pays inconnus que chacun porte en soi, encore ébloui par l'égoïsme créatif où avait baigné mon enfance, sans honte, prêt à tout.

Compte tenu de l'impossibilité exprimée par ma mère de prendre Sarah en charge et de mon intransigeance sur un affranchissement auquel je tenais par toute la fibre de mon être, je n'hésitais plus, dans l'ombre retrouvée du wagon, à considérer le pour et le contre de mon crime, jusqu'à l'envisager comme un sacrifice nécessaire, et courageux en définitive. C'était à moi de réparer une situation à laquelle personne d'autre ne pouvait apporter de solution. Quant à m'en sortir à bon compte en vendant Sarah – au temps de l'Algérie le renard des sables était un animal à la mode – l'idée me paraissait une solution de faiblesse, dégradante, juste bonne pour les objets qui ne comptent pas.

Or Sarah comptait. Et la sacrifier ne constituait pas à mes yeux un crime mineur, loin de là. La petite bête partageait pour vivre les comportements de tous les êtres : peur, agressivité, besoin de nicher, et je n'avais nullement l'impression d'avoir commis un acte insignifiant, plus léger, ou relevant d'une résolution moins grave que s'il m'avait fallu assassiner un être humain. J'étais convaincu qu'il avait été tout aussi difficile de créer le fennec que l'*homo sapiens*. J'avais déjà, de loin, assisté à la mort d'une bonne poignée d'hommes de mon âge, mis en joue avec indifférence, sans éprouver beaucoup de sentiments. À la guerre, les hommes n'ont-ils pas pour devoir d'abattre régulièrement leurs semblables ? Cela m'avait guéri de la croyance en une supériorité des humains, comme s'ils eussent été les seuls dépositaires d'un souffle spirituel. Il m'apparaissait plutôt que cette primauté se joue pour chaque être vivant en proportion de la peine qu'on éprouve en le perdant. Comment la mort d'une petite bête choyée, humanisée, que j'imaginais issue des mêmes couches de l'univers que moi, m'aurait-elle moins affecté que celle d'un inconnu que je n'avais aucune raison d'aimer ?

Le général de Gaulle refusait qu'on lui serve les poules de son poulailler, parce que chaque matin, au cours de sa promenade à Colombey-les-Deux-Églises, il les regardait picorer l'herbe en passant et qu'il les voyait vivre. Pour moi, ce devait être la même chose : l'abattage d'une bête ne pouvait me laisser indifférent que dans la mesure où je ne l'avais personnellement jamais vue.

À cette époque, tous les enfants avaient un saint patron. François d'Assise était le mien et j'étais fier de mon protecteur. Je militais comme lui en faveur de l'intégration de toutes les créatures dans une sorte de charte des droits de l'être vivant. À ma première communion, j'avais reçu des images du Loup de Gubbio et de la Prédication aux oiseaux. Pour moi non plus, il n'y avait pas de coupure entre le monde des bêtes et celui des humains, et je vénérais l'invisible présence qui me semblait vivre en elles. Et si la science et la philosophie, après saint François, ont insisté sur une différence radicale entre les hommes doués de raison et des « animaux-machines », je ne me suis jamais moi-même senti étranger au règne animal.

Je n'ai pas évolué, depuis, à cet égard. Cette manière de diviser le monde vivant m'attriste. Elle demeure un des seuils, un des caps que ma sensibilité ne m'a jamais permis de franchir.

Quand j'arrivai au Cambodge en 1965, je vis sans rien dire, comme tout le monde, la tortue vivante retournée sur le brasero, l'entaille au coupe-coupe dans le dos de la loutre pour retenir l'entrave, le groin ensanglanté du cochon ficelé au porte-bagages frotter contre la route – chaque bête victime de notre indifférence, de ce détachement qui sépare l'homme des autres, le même que celui qui autorisait les Khmers rouges à toquer la tête du nourrisson contre un arbre ou un mur.

Lorsqu'on tue, disons « parce qu'il le faut », la chose qui importe c'est notre façon de voir, de penser sur le coup, notre manière de ressentir l'interdit, le poids du danger, sans explication ; de la même façon, après la guerre, j'ai vite compris que la viande, dont le rationnement nous avait longtemps privés, constituait aussi quelque chose de tabou.

Nous habitions alors à Nancy. Quand j'allais au stade d'Essey avec mon père, nous évitions de passer devant les abattoirs dont l'haleine refluait dans mon cerveau d'enfant. Je percevais confusément ce qu'on y faisait, même si j'étais dans l'incapacité de me figurer une seconde ce que les murs de cet empire fermé dissimulaient de réel. Plus tard, la rumeur qu'une multitude d'êtres déshumanisés, pour la plupart des Juifs, avait été conduite à l'abattage, était parvenue à mes oreilles, auréolée du même mystère incompréhensible. Ceux-là non plus n'avaient sans doute pas d'âme.

J'avais toujours en tête une conversation avec mon père, aux alentours de 1954. Nous venions de sortir du bureau de tabac qui faisait le coin de la rue, en face de la brasserie d'Amerval. Il m'avait dit que dans les premiers temps les êtres vivants étaient apparus sous l'eau. Ils en étaient sortis pour aller sur la terre, puis, en évoluant, pour s'élever dans les airs. Nous étions convenus que c'était cela le Progrès, l'évolution progressive de la vie, en plusieurs étapes, du bas vers le haut, vers un terme idéal. Or, une partie des créatures, trop attirées par le bas, n'étaient parvenues à se soulever qu'en s'accrochant aux arbres.

Ce groupe comptait les plus intelligentes, et la majorité de ses membres avaient décidé de gagner le sol rapidement, dans le but de fixer là leur empire, au risque de vivre selon le régime des carnassiers et d'en payer le prix fort. Leur ruse consistait à faire apparaître leur bêtise sous une forme géniale. Nous, les hommes, étions leurs fidèles héritiers. À partir de ce moment-là, plus rien n'avait subsisté sur terre, sous terre ou dans l'eau, que ces dernières ne dépistent, ne traquent, ne trompent ou ne détruisent. Tout avait dû se soumettre à la voracité de leur désir.

Seuls les oiseaux parés de plumes avaient échappé à leur domination en s'envolant à tire-d'aile, dans leur splendide légèreté, tandis que les autres espèces avaient été déchues de leurs droits. L'invention de la connaissance, comme celle du bien et du mal, des bons et des méchants, datait de cette époque. Les oiseaux étaient devenus les seules créatures en situation de plonger profondément dans le rêve de la vie, d'exister paisiblement loin du monde et des dieux, à l'écart de l'espèce humaine, des champs d'équarrissage et autres camps de concentration.

Dans leur présomption démesurée, les hommes avaient essayé à maintes reprises d'atteindre les hauteurs à leur tour, mais le trop grand poids de leurs membres les ramenait sur la terre. Cette tension au fond d'eux, entre le lourd et le léger, devint l'aspect le plus tragique de leur condition ici bas. Depuis, l'idée de se rendre où disparaissent les oiseaux aspirés par le grand ressort du ciel, reste l'objectif qu'ils poursuivent mais qu'ils n'atteignent jamais.

Dans mon esprit d'enfant, tout s'éclairait par ce récit : c'était pour cela que les hommes avaient doté leurs anges d'ailes et que, désespérant d'une âme avilie par les bassesses de leur propre pesanteur, ils évoquaient éternellement le mythe d'un paradis perdu, dont ils continuaient de chercher à tâtons le chemin vers le ciel.

Comme chaque fois, dans ces instants où je marchais au côté de mon père, sentant sa main reposer doucement sur mon épaule, j'avais le sentiment que les mots prononcés se gravaient dans ma mémoire, pour forger ce qui deviendrait plus tard mes premières réflexions d'adulte.

*

De nombreux Allemands tenaient garnison à Nancy alors que circulait déjà la rumeur d'un débarquement des Alliés. Je remontais avec ma mère la grande allée de la Pépinière qui donnait sur les vieux chênes du jardin d'enfants. À une petite distance, un officier SS avançait dans notre direction. Arrivé à son niveau, je lui tirai la langue. Le militaire s'immobilisa. Ma mère, apeurée, m'administra aussitôt une grande claque.

« Madame, pourquoi giflez-vous votre fils ?... J'eusse été fier à votre place », dit-il en français, avec un claquement de talons, avant de poursuivre son chemin.

Ce jour-là, à l'exemple de ma mère qui me frappait rarement et jamais aussi fort, je compris que la peur pouvait pousser n'importe qui au-delà des limites habituelles de son comportement.

Dans les années qui suivirent, j'entendis souvent mes parents évoquer cette scène. Quand nous avions des invités, mon père, affectant chaque fois un petit air d'étonnement avant de commencer, aimait à appeler l'attention sur la morale d'une histoire qui, mises à part quelques considérations sur l'ardeur de mon patriotisme naissant, n'était pas forcément celle à laquelle tout le monde s'attendait.

Ce fut là ma première expérience d'une réflexion qui allait mûrir en moi : bien qu'ils fussent – ou parce qu'ils étaient – emplis de bonnes dispositions, des gens pouvaient se trouver mêlés à des entreprises criminelles ; il fallait de toute façon les combattre, selon des règles préétablies, chacun devant s'en tenir à des cadres tout faits, sur les bases d'un état d'esprit résistant qui interdit de pactiser avec un officier ennemi, aussi sympathique soit-il.

Après la Libération, les premiers livres que je me mis à lire rapportaient l'aventure de marchands qui allaient acheter des esclaves pour les revendre sur les marchés, comme des bêtes. J'étais révolté par le droit qu'ils s'arrogeaient de maltraiter leur butin sous prétexte d'animalité.

L'esclavage, qui convulsait l'humanité depuis la préhistoire, avait tiré parti de l'usage qu'on faisait des bestiaux, au même titre, si je comprenais bien, que les crimes de masse avaient calqué leurs procédures sur celles des abattoirs. Un lien se construisait peu à peu dans mon esprit entre ces deux phénomènes. Comment ne pas croire que l'un ne fût la conséquence de l'autre ? Que celui-ci ait lieu sans entraîner celui-là ? Il est des forfaits qui touchent le monde dans son ensemble, dans sa structure, dans sa raison d'être.

À regarder les choses de la sorte, d'un œil biologique, on forme des pensées qui découragent, on acquiert une perception très pessimiste de l'homme. Mais ce regard de l'enfant ne dure pas, qui est le plus implacable de ceux que chacun porte sur soi ; la peur qu'il introduit en nous ne parvient plus à la conscience commune. L'idée me venait alors, sans oser croire que ce temps pût jamais advenir, qu'interdire l'abattage – à Nancy, on tuait surtout au merlin et par énervation – serait peut-être la seule façon d'ôter aux fils de l'homme l'envie de dévorer leur prochain, de se l'approprier pour conquérir des empires ; de les en dégoûter en tuant le désir à la racine. Manger la chair des animaux devenait pour moi le signe d'un instinct de mort, le symbole d'une assimilation progressive de nous-mêmes, jusqu'à l'autophagie.

Je me disais qu'on finirait un jour par se remémorer les abattoirs comme la marque d'un autre âge, avec la même honte que nous cause le rappel des vaisseaux négriers. J'en suis resté là, aujourd'hui, après tant d'années ; je n'ai guère bougé depuis ces premières pensées – à peine mon imagination porte-t-elle un peu plus loin sur les limites des autres êtres vivants, et tout le reste est dans l'ombre. Mais j'avais trouvé épatante l'idée que l'homme descendît du singe. Assurément, que l'un de mes ancêtres se fût hasardé à quitter l'ombrage vertueux des grands arbres et eût imposé son règne en soumettant les autres créatures me permettait de mieux comprendre « ce qu'ici-bas nous sommes »[1].

*

Nous ne disions pas ces choses entre nous, mais j'observai, plus tard en Algérie, que le cœur de mes compagnons de régiment n'était guère plus sensible que le mien devant le corps d'un fellah, alors que nous ressentions dramatiquement la disparition du camarade que nous nous étions accoutumés à voir, avec une sensibilité pouvant parfois surprendre, comme celle maintenant qui me faisait pleurer dans le train. Je pleurais sur moi-même, saisi de mon indignité : j'avais sacrifié Sarah afin de m'expurger ainsi des retombées du décès de mon père. Or, de l'avoir tuée sans heurter la morale ni risquer aucune peine, fut le point de départ d'une prise de conscience dont l'incidence sur moi n'a jamais plus cessé de me suivre en sourdine, rejaillissant à ma figure à tout moment, comme si j'avais agi sur ordre, en fonction d'une « raison supérieure », parfaite et immuable, devenue inhérente à ma personne.

Je ne m'arrêterais jamais plus à Bar-le-Duc sans baisser les yeux et me taire, à l'instar du silence résigné qu'avait appris à observer ma mère.

Ces réflexions demeurent douloureuses, comme tout ce qui me reste de ce voyage, dont je ne commençai à tirer la leçon que beaucoup plus tard. Ma mère se tut, en effet, devant l'inéluctable, et son silence ce jour-là couvrit le heurt des essieux pendant le reste du trajet. De Sarah, nous ne reparlâmes plus ; ni chez ma sœur, jamais. Le silence dont elle m'a enveloppé ne fut pas celui que l'on garde pour éviter de parler, de condamner, ni celui que chacun fait sur sa vie intérieure, mais l'autre : celui plus cruel de la résignation dans laquelle l'homme se tient prisonnier.

Je n'ai jamais raconté cette histoire à personne, mais son rappel me poursuit, comme une image sans cesse réveillée. La mort de Sarah est devenue un passage qui ouvre en moi sur un gouffre ; et comprendre cela, c'est posséder la clef d'un grand nombre d'énigmes. Je garderai cette peur jusqu'à la fin de mes jours. Je jure que le geste fut intolérable et qu'il fallut me forcer, dans des conditions atroces, et tout à la fois aisées. J'en frissonne : je l'ai cognée à toute volée contre le parapet. À la seconde même où j'ai senti venir cette force, elle n'a plus remué, anéantie par la peur, magnétisée par ma décision, ou peut-être prise de vertige sous l'effet de la tendresse que je lui transmettais et qu'elle ressentait encore.

Je ressortis foudroyé d'une expérience qui m'avait fait tomber sur l'effroyable secret, celui que ma mère, comme tout le monde, avait pris l'habitude de garder en silence : ce qui distinguait l'homme des autres, c'était son aptitude naturelle à faire fi de ses émotions.

Une nouvelle ère commençait, j'étais dans l'année zéro ; j'allais devoir apprendre à vivre sans mon père. Chemin faisant, les plumules de mes rêves de jeunesse tombaient une à une. J'aurais à faire peau neuve, paré à filer pour un nouvel envol, qui réclamerait d'autres sacrifices, d'autres trahisons.

*

Au plus vite, il m'a fallu parcourir le monde, me dégager du joug des servitudes, identifier les vrais instants de la vie, apprendre à reconnaître l'importance des revers qui façonnent la conscience, des réalités qui n'éclairent jamais les endroits agréables, et improviser chaque fois de nouvelles patries dans le regard de mes compagnons de route. Puis la découverte d'un petit nombre d'ouvrages-clés, dont la lecture me fut d'autant plus nécessaire qu'elle était improbable, m'a détourné en chemin et ramené vers la France. J'y ai repris mes études, jusqu'à un nouveau départ, cette fois pour les temples du Cambodge, et la Conservation d'Angkor devint le cadre de mes premières recherches sur le bouddhisme khmer.

Le 10 octobre 1971, en pleine force de l'âge, je suis arrêté dans un monastère par des miliciens de la guérilla cambodgienne, condamné à mort, et conduit dans un camp (« M.13 »). Ma fille Hélène, âgée d'un peu moins de quatre ans, est laissée sur la route, échappant ainsi à mon sort. Cependant, le chef chargé de mon exécution s'évertue à me faire libérer, au bout du troisième mois. Quelque temps après, c'est lui qui est nommé secrétaire du centre de sécurité de Phnom-Penh (« S.21 »), en charge d'interroger et de faire disparaître les milliers d'ennemis de la révolution. À la fin des hostilités, mon ancien « libérateur » s'évapore dans la nature lorsque, reconnu et identifié avec le « bourreau de Tuol Sleng (S.21) », il est arrêté à son tour. L'homme ne m'a pas oublié et souhaite me revoir. Dans la foulée, j'écris les mémoires de mon incarcération en forêt, placé sous sa férule, et je rapporte dans *Le portail*, sans me soucier une seconde de fausser le passé par des mots trop ancrés dans le présent, la relation ambiguë qui nous avait rapprochés. Mon seul but est de décrire ce qu'un jeune Français de trente ans se rappelait avoir vécu au sein d'un camp d'extermination et, en tant que tel, ce qu'il a perçu du bourreau.

Il m'est donné rapidement d'échanger quelques messages avec lui, et ensuite de le rencontrer en prison. Je lui fais parvenir mon ouvrage. Pendant ce temps, la machine d'une instruction criminelle se met en route pour juger le complot des Khmers rouges devant un tribunal de droit international : le bourreau est inculpé pour crimes contre l'humanité et crimes de guerre.

Aujourd'hui, j'éprouve le besoin inextinguible de revenir sur cet événement encore si fort et cependant vécu trop prématurément : il s'est agi d'un choc existentiel, psychologique, émotionnel extrême, dont je n'ai cessé de subir chacun des contrecoups qui se sont échelonnés en grossissant dans le temps – 1971, 1988, 1999, 2009, comme des épreuves qu'il m'a fallu franchir pour émerger de mes ombres vers une nouvelle conscience.

Ces dates ne disent rien, mais elles forment un tout pour moi indissociable. De leur déploiement se dessinent les séquences d'un portrait-robot tragique, dépareillé, fantasmagorique, que mes automatismes mentaux m'empêchent absolument de reconnaître. Il m'advient de les décoder par à-coups seulement, à l'image des poussées de fièvre qui font grandir les enfants quand elles ne les tuent pas. Le choc a été tel qu'il m'a fallu chaque fois exhumer d'anciens liens, entre mes intuitions d'autrefois – certaines extirpées de mes pensées au point de me faire douter de les avoir jamais eues – et d'autres, dorénavant, qui m'agitent avec la puissance du présent, telle une jonque en rupture d'amarre.

*

1971. S'il n'y avait eu que ma détention à M.13, j'aurais gardé l'impression de n'avoir eu à surmonter qu'un conflit personnel, sans véritable ennemi, seul face à moi-même, avec l'unique obsession, sur place, de ne rien laisser passer de ce qui aurait pu être un signe avant-coureur de ma mort, comme ces mouvements annonciateurs d'un raz-de-marée encore invisible mais tout proche que l'on surveille dans l'eau. Je m'en serais relevé meurtri et fautif, mais en même temps si soulagé que l'euphorie éprouvée au moment de ma libération aurait tout balayé, jusqu'au visage et au nom de l'ancien professeur de mathématiques à qui je devais d'être vivant. Sur le coup, j'avais sincèrement cru cette histoire derrière moi, qu'elle était finie, et qu'après la guerre j'allais retrouver mes deux compagnons joyeusement, pour reprendre avec eux mes enquêtes.

1988. C'est beaucoup plus tard, lorsque je reconnus la photo du Khmer rouge dont j'avais été le prisonnier, que se déclencha un second processus de prise de conscience venant modifier radicalement les choses : c'était lui qui avait organisé la mort de milliers de personnes dans les décharges de Tuol Sleng. Le film de mon incarcération s'est mis à défiler devant mes yeux un peu différemment. Un film tournant au ralenti, image par image, tandis que le souvenir précis de mes anciens codétenus me revenait par flashs, dans le regard de toutes les victimes dont les photos se trouvaient punaisées aux murs du camp de détention.

« Douch » – j'avais en effet oublié son nom – m'est réapparu lui aussi, mais plus que jamais nimbé de cette dualité dont je l'avais vu enveloppé – museau tantôt rieur, ouvert, tantôt hermétique et froid –, déjà dépossédé de sa personne, dans un dédoublement que lui-même n'était pas en état de mesurer. Aucun homme ne montre longtemps un visage opposé à celui qu'il croit être le sien, sans bientôt oublier lequel des deux est le vrai [2] : après Tuol

Sleng, le doute n'était plus permis. Et tandis qu'avec lui je me laissai, une nouvelle fois, glisser au creux de cette « zone grise »[3] qui nous séparait et qui nous avait en même temps reliés à M.13 – ce lieu paradoxal où l'occasion m'avait été donnée de le comprendre et de m'en épouvanter –, son spectre nauséabond s'approchait de moi, vêtu de loques déteintes, retenues par des lambeaux. Les roulements de sa voix se transformèrent en je ne sais quelle plainte stridente qui me sembla faire le fond de toutes les lamentations humaines. Je n'avais jamais rien entendu de pareil : l'immensité de sa misère étouffait en moi toute ombre de pitié. Aussi me suis-je tout de suite enfui de Tuol Sleng, en méditant le sens de choses que j'avais vues en germe, sans les reconnaître.

Et pendant le temps que s'opérait la recristallisation de mes souvenirs, je compris que cette vision ne me quitterait plus, qu'il me faudrait vivre avec pour toujours.

1999. Je me suis laissé ferrer une nouvelle fois au même hameçon dix ans plus tard, quoique sous une forme plus insidieuse, mais tout aussi tragique, quand Douch a reparu vivant. Deux journalistes l'avaient trouvé et aussitôt reconnu grâce à de vieilles photos[4]. L'ancien révolutionnaire ne nie rien, livre un compte rendu de sa mission dans les exécutions avec candeur, et fait état devant eux de sa récente conversion chrétienne. Pour lui pas de surprise : Dieu se manifestant à l'origine de tout ce qu'on ne comprenait pas, de tout ce qu'on ne voulait pas faire, l'unique explication était sa culpabilité – l'heure des représailles avait ainsi sonné. Peu de temps après, je reçois à Bangkok l'enregistrement sur cassettes du premier jet de ses remémorations, où il reconnaît sa part de responsabilité dans la mort d'« environ quarante mille personnes ».

En vérité, je ne pensais plus à lui en tant que tel. Son rôle, son action, étaient passés par-dessus sa personne. C'est à la façon d'un piège préparé de longue date que les choses se sont donc refermées sur moi, comme les pièces aimantées d'un casse-tête qui se seraient emboîtées en silence, avec la force d'une mâchoire. J'ai vu les éléments du puzzle infernal s'ordonner dans ma tête. La biographie de Douch ne pourrait plus être que celle du « bourreau de Tuol Sleng », alors qu'il m'avait fait voir à moi autre chose de lui-même. Il ne m'était plus permis de me taire : l'individu révolté, le spécialiste engagé, l'homme démasqué, l'être exigeant et moral, où tout était vrai, où tout était facette. Ses métamorphoses prenaient la signification des tragédies antiques qui n'expliquent rien, dont le sens est obscur, mais où le thème unique demeure la représentation des forces de la vie, au sein desquelles l'homme se débat, en plein milieu du danger.

Je me suis précipité pour écrire. N'ayant pour ainsi dire rien noté sur le coup, mon récit ne serait pas autre chose qu'une mise en forme de souvenirs fragiles, mais, étant donné la vitesse à laquelle, de toute façon, nos sentiments s'estompent, et en quelques jours seulement changent de coloration, il m'apparaissait que la fixation immédiate et grossière de ce que l'on vit devenait aussi une énigme. Entre le sujet et l'auteur, le recul s'avère nécessaire. Le plus dur fut de revenir sur mes doutes, et le plus merveilleux de retrouver la fraîcheur des instants, par des tours et retours sur moi-même, comme le sang revient dans les veines.

2009. À la veille d'aller déposer seul au procès des Khmers rouges, j'ai voulu retourner une dernière fois à Tuol Sleng. Même après de nombreuses visites, l'endroit vous remplit d'effroi.

Dans les couloirs de l'ancien lycée, le monstre devant lequel je vais bientôt témoigner semble encore si présent qu'il me revient curieusement en mémoire les comptes rendus d'audience de Joseph Kessel, où le grand reporter et aventurier jette tout le poids de son talent et de sa répulsion personnelle [5]. Il observe à la jumelle et décrit, avec la précision du caricaturiste (et le recours massif à des signes sortis d'une espèce d'anthropométrie morale), l'animalité et la dégénérescence des traits de chacun des nazis réunis en meute dans la salle, de telle sorte que la possibilité de reconnaître un tant soit peu de soi-même en ces « faux demi-dieux » n'effleure jamais l'esprit d'aucun être humain digne de ce nom : *visage énorme, crâne chauve, front étroit, yeux fuyants, face plate, nez pointu, lèvres minces, voix fourbe, menton absent, cou mou, épaules grasses, dos rond…*

Le point de vue choisi ici, à Nuremberg ou ailleurs – comme depuis toujours celui qu'ont adopté les hommes pour peindre leurs ennemis les plus antagoniques –, demeure toutefois, hormis le talent déployé, celui de l'ensemble des chroniqueurs judiciaires et des observateurs de l'époque. Mais mon ennemi à moi, hélas !, n'allait pas figurer dans cette salle du procès de la sorte. Depuis M.13 je ne poursuis plus la même cible. La mienne est plus difficile à reconnaître, quoique s'identifiant beaucoup plus facilement : elle revêt le visage de tout un chacun...

Et je pense aussitôt à cette note que l'éditeur français des confessions de Rudolf Hoess, l'ancien commandant d'Auschwitz, a pris soin d'ajouter à l'attention du lecteur :

« L'autobiographie de Hoess présente un intérêt historique, un intérêt "exemplaire" si considérable, que son édition en plusieurs langues s'imposait. Sa vie privée n'appartient au lecteur que dans la mesure où elle éclaire le comportement "historique" du personnage. Aussi les éditions Julliard comme les éditeurs anglais, polonais ou allemands, et, pour cette nouvelle édition, les éditions de La Découverte, n'ont pas jugé opportun de publier les lettres d'adieux de Hoess à sa famille. »[6] La note de l'éditeur renvoie à la fin du récit de Hoess, alors même qu'avant d'être pendu, celui-ci semblait avoir trouvé, dans certains passages à caractère plus intime, matière non seulement à se rassurer sur lui-même, mais à se montrer sous un jour plus complet, et dès lors beaucoup plus monstrueux dans son dédoublement : « Lorsqu'on utilisera cet exposé, je voudrais qu'on ne livrât pas à la publicité tous les passages qui concernent ma femme, ma famille, mes mouvements d'attendrissement et mes doutes secrets. »[7]

Pour ma part, je trouve au contraire que la vie privée de l'officier nazi nous appartient aussi à plus d'un titre, dès le moment où elle éclaire dans l'ombre les comportements que nous avons en commun avec lui. Le rapprochement est même si effrayant qu'il devrait faire l'objet d'une mesure d'urgence, si ce n'est d'une loi de salut public. Je vois dans ce refus les méfaits d'une pudeur prétendue qui ne vise qu'à brouiller les pistes et déjouer notre méfiance, d'une morale devenue à ce point convenue qu'elle encourage à masquer la réalité sous des faits caricaturaux, des images d'Épinal, pour mettre à distance de nous les grands assassins en les parodiant, voire à nous amener à en rire. Oui, la vie privée de ces hommes m'intéresse, dès lors qu'elle concerne leur crime ; ou pire : dès lors qu'elle nous masque son rapport étroit avec lui. Au-delà des « tragiques anomalies de comportement » qu'on prête immédiatement aux despotes sanguinaires une fois qu'ils sont *vaincus*, démasqués, et que les livres d'histoire s'accordent à stigmatiser, c'est précisément cette partie commune de l'être sensible − celle que je partage avec eux car elle ouvre aussi sur le fond de moi-même −, qui est cause de toute ma détresse, de mon désarroi. À mesure que l'on observe sans feindre la monstruosité des autres, on finit tôt ou tard par la reconnaître en soi.

Où peut-on puiser, de l'autre côté du voile, ne fût-ce qu'un petit instant, la force d'échapper au pire de ce que nous refusons d'être ? J'ignore si cela est possible sans une crise personnelle profonde. En revanche, je crains qu'on n'y parvienne jamais si l'on se contente de toujours repousser avec indignation les seules occasions de se reconnaître dans l'autre. Ce n'est pas dans les systèmes mais au tréfonds de nous-mêmes et de nos déconvenues que germera peut-être un nouveau fruit

sur la terre, à l'ombre de l'échafaud de nos grands sacrilèges : le viol de la conscience sociale, l'outrage de la
morale, la profanation de notre archétype de l'homme.

À regarder Douch dans le box des accusés, sous
l'éclairage outrancier des « Chambres extraordinaires
au sein des Tribunaux cambodgiens » (CETC) qui
tombe aussi à plein sur moi, j'ai envie de me lever
pour dénoncer l'hypocrite tabou, et demander aux
juges d'oser nous faire entendre les moments où le
bourreau khmer rouge, dans le même uniforme soudain que le bourreau nazi, dévoile sa sensibilité et ses
doutes, expose en plein jour les caractères fondamentaux de son humanité, de quelle manière il fut un
homme violent, lâche, léger ; et par là profondément humain.

*

Dans les pages qui suivent, je reviens sur ces
épreuves qui ont marqué ma vie. Il s'agit de les reconsi-
dérer à l'aide d'une sensibilité renouvelée, étape par
étape, en les réinsérant dans autant de parties.

J'ai perdu la conviction que les choses, dès
l'instant où elles se produisent, reçoivent une forme
irrévocable qui se conserve pour l'éternité. Ce qui
n'était pas encore vrai autrefois, c'est moi qui le rends
vrai après coup. Le présent modifie davantage le
passé que l'avenir, chaque nouvelle épreuve se presse
sur les précédentes pour les écraser. Et comme toujours en pareille circonstance, je repense au décès de
mon père, à Sarah… La douleur croît, l'âme se plie ;
mais quel tendre complément la mort n'ajoute-t-elle

pas au souvenir de ceux que nous avons chéris jusqu'aux derniers instants ?

Je pense à mes deux amis, à la ronde infernale des victimes de M.13, et toutes celles que j'ai côtoyées de loin, chacune amaigrie mais encore jeune et belle, tuée sans amour. Leurs visages punaisés s'affichent en moi comme sur les murs de Tuol Sleng. Je pense aussi à Douch, de qui tout le monde se tient à l'écart, jusqu'à ses propres enfants. À sa fille répudiée, soudain souillée par les crimes de son père… La plus dure façon de mourir est de s'effacer du cœur des êtres qu'on aime pour ne plus vivre en eux.

Au-delà de ce passé qui me revient chaque jour tant il m'enfante encore, je repasse à l'infini par les phases de l'épreuve cambodgienne, la seule qui m'a fait prendre conscience, mieux que n'importe quelle mort, de mon identité, et ouvrir grand les yeux sur la plus périlleuse de toutes les équations : deviner en moi le pire de ce qu'il y a en l'autre.

Sinon par quel moyen sortir de notre aveuglement, « ce grand aveuglement où chacun est pour soi » [8] ?

II

1971 – LE RÉVOLUTIONNAIRE

Beaucoup de mes jugements ont changé, jamais cependant ceux que j'ai portés sur une révolution immédiatement haïe parce qu'elle voulait remplacer tous les repères sur lesquels reposait mon amour du Cambodge. Certes, ses partisans ne manquaient pas d'arguments pour séduire et soulever les passions : s'opposer aux Américains, hâter l'inébranlable sursaut des peuples qui faisait trembler le monde. Tous avaient calculé comme tant d'autres, les yeux en plein rêve, que la guerre faisait partie du cortège des souffrances qu'accompagnent les métamorphoses du vivant, mais que leur lutte à eux dérivait d'une action plus haute. Ici comme en France, où les adeptes inconditionnels de quelques Mao se pâmaient à l'idée des glorieux Khmers rouges prêts à tout sacrifier, les révolutionnaires de tous poils avaient quitté le domaine de l'intelligence pour celui du sentiment qui faisait battre les cœurs. On chantait la solitude du guérillero comme le lot réservé à une poignée d'hommes libres, réfractaires à l'ordre ancien du monde, où maîtres et esclaves ne pouvaient mutuellement que s'avilir. Devant pareil avenir et face à tant de gloire, comment imaginer un seul instant que les jeunes héros qui prenaient le maquis contre « l'impérialisme américain » se rangeraient un jour dans la foule des gens contraints de dissimuler leur honte et de sourire à l'ancien ennemi ?

Recruté pour aller étudier les traditions du bouddhisme, il m'avait fallu fuir au bout de cinq ans devant les troupes de Hanoï et l'invasion d'Angkor. Je m'étais replié dans les provinces du centre où cependant commençait de sévir la rébellion des Khmers rouges. Et malgré l'inclémence des temps, je gardais l'espoir de faire des trouvailles dans ce pays. Le 10 octobre 1971, j'avais été capturé par une poignée d'entre eux, en compagnie de mes deux collègues cambodgiens, Lay et Son, et emporté sur-le-champ comme on fait d'une bonne prise. Postés de distance en distance sur un trajet qui évitait les habitations, de jeunes miliciens s'étaient relayés afin de m'escorter sous la pluie, le long de petits chemins creusés d'ornières remplies d'eau. À la première étape, une faille s'était produite dans mon esprit entre le chercheur, dont j'avais mené jusque-là l'existence, et la vision de l'homme que j'étais devenu, soudain surveillé comme un criminel. Un tribunal miséreux, et d'autant plus théâtral, m'avait interrogé sous l'œil d'un public qu'on avait rassemblé pour applaudir dans mon dos [1]. Un peu de temps après, mes jambes avaient été emprisonnées dans un carcan massif qui prenait tout l'étage d'une maison, où j'avais retrouvé mes deux acolytes, aussi malheureux que moi. Une demi-douzaine de jeunes filles en rang étaient venues nous cracher au visage, l'air dégoûté, en me considérant avec une haine prodigieuse. Des voix arrogantes avaient crié d'en bas qu'on retire mes vêtements, puis un groupe d'hommes était monté me chercher. Après un bref conciliabule on m'avait couvert le visage à l'aide d'un bandeau crasseux et poussé sur un trajet encombré de branchages, ouvrant sur les rizières. Mes yeux s'étaient tout de suite posés sur les choses sans les voir, en les touchant de loin comme avec des antennes. L'exaspération, la violence, la colère qui explosaient en moi étaient tombées d'un coup, et je m'étais forcé à faire comme si j'avais eu du courage. Le corps se met en branle, suspendu aux yeux bandés immensément ouverts, il avance tel un automate et avec une bonne volonté puérile. L'imminence de l'événement avait pesamment envahi mes sens, et moins je saisissais la situation, mieux l'opération se déroulait d'elle-même. Je demeurais comme frappé d'un étonnement massue, et il me devenait aussi difficile de reprendre mon souffle que d'espérer ou de désespérer. L'instant de la mort semble cacher un acte essentiel. J'avais déjà vu des êtres mourir et surtout des bêtes, à demi absents au moment précis où la chose se passe, sans surprise, comme dans un temps attendu d'avance. Serait-ce différent pour moi ? Comment se conduit-on à l'intérieur lorsque le choc arrive ? Les villageois d'Angkor abattaient les porcs si cruellement à coups de hache, au milieu des rires et des cris, que j'avais demandé jadis qu'on me laisse les égorger moi-même, d'un geste précis, en les flattant de la main pour qu'ils s'apaisent d'abord. Quelle horreur !... Le bourreau doit se résoudre à un sacrifice lui aussi. On pouvait de maintes manières rendre la chose plus humaine que prévu... Mais à quoi bon si c'est la marche du monde ?

La poigne résolue qui guidait mes pas emboués à travers le créneau des diguettes s'était relâchée pour m'isoler et soudain me planter là, à six mètres d'un peloton d'exécution, dont les mots chuchotés et le cliquetis des armes arrivaient jusqu'à mes oreilles. Dans cet instant, où la situation seule prévalait, je ne ressentais plus l'injustice, j'avais seulement une idée vague des choses, et peur aussi que ça fasse mal, comme chez le dentiste quand j'étais enfant, avant qu'on m'installe dans le fauteuil et que je me mette à hurler. Aussi m'étais-je concentré sur chaque bruit avec une attention extrême, à l'affût de je ne sais trop quoi, mais les images qui se formaient m'échappaient les unes après les autres. J'étais demeuré debout en pesant concrètement chaque seconde qui passait et que je voyais fuir. Je n'entendais plus que le battement précipité du sang à mes tempes. Puis je m'étais laissé absorber par le cisaillement continu de mes pensées, ou plutôt de mille ébauches de pensées, qui paralysaient mes facultés une par une, déjà plongé dans la torpeur qui succède à la crise. Je rêvais à moitié quand d'autres gardes m'ont remis en route, le long d'une piste plus large, qui partait plein nord.

Le lendemain matin, j'ai franchi le seuil d'un camp sans m'en apercevoir. Il s'y maintenait des dizaines de personnes dans un silence absolu. L'endroit était de dimensions modestes, puisqu'il ne comprenait que quatre baraques juchées sur de courts pilotis, couvertes d'un entremêlement de palmes, cerné par un ruisseau et le bord d'un dégagement à peine délimité. On m'a débandé les yeux et, en tout premier lieu, j'ai repéré quelques arbustes, le sous-bois et plusieurs grands arbres : ils marquaient le périmètre interdit, au cœur d'une bambouseraie facile à contrôler à l'aide d'une poignée d'hommes. On m'a entravé avec d'autres prisonniers étendus à mes pieds comme des ombres qui dérobaient leur visage. Ces hommes se trouvaient alignés sur la claie, ainsi que des objets soustraits à l'usage et réduits à leur unique présence, déjà étiolés. Voulait-on ainsi aggraver ma peine ou alléger l'isolement ? Le mutisme de mes congénères m'apparut à lui seul une prison dans l'autre.

Dès cet instant, ma vie s'est trouvée suspendue aux rapports que le maître des lieux faisait chaque jour à l'adresse de ses chefs, tous éduqués en France et qui rêvaient comme lui, impatients d'accoucher d'un pays purifié, radicalement exempt des inégalités et de la pauvreté. Lui-même était partisan du communisme marxiste, profondément soucieux de voir s'établir la justice dans le monde, et résolu, s'il le fallait, à y sacrifier sa vie. L'homme était jeune, souriant, et les gardiens qui le craignaient l'appelaient « "Grand-père" Douch ». J'avais trente ans, lui en avait vingt-sept.

Grand-père Douch n'avait que quelques expressions, mais chacune lui faisait un visage différent. Pour autant, il ne se présentait jamais à quiconque sous l'aspect extérieur d'un ennemi ou de quelqu'un dévoré par la haine ; à la vérité, ce calme nous faisait baisser les yeux plus vite. Douch paraissait destiné à exercer de façon naturelle le pouvoir et ne souhaitait pas se faire plus redoutable qu'il ne l'était déjà dans la réalité. Il assumait sans détour tous les devoirs de son engagement, comme étant ceux de ses propres exigences vis-à-vis des lois de la raison.

Dans cette phase de la guerre, qui opposait les Khmers rouges avec leurs alliés vietnamiens aux gouvernementaux du régime pro-américain dirigé par le maréchal Lon Nol, l'organisation politique des révolutionnaires était déjà bien en place, à travers une structure hiérarchique très rigide, mais dont Douch – j'en avais l'intuition croissante –, loin d'être un chef local livré à lui-même, n'était qu'un maillon de la chaîne.

Il devait sans cesse rendre des comptes et recevait des ordres. Ce n'est pas qu'il avait toujours l'air de les approuver non plus ; ce faisant, il restait confiné dans cette passivité édifiante qui demeure l'un des traits les plus caractéristiques du parfait soldat.

En dépit de mes protestations intempestives – j'en prends la mesure aujourd'hui –, je me suis conduit sur-le-champ comme un captif au cœur simple, très malheureux, pour qui la liberté était de serrer son enfant dans ses bras, d'entrer dans les villages, de sommeiller sur le point du jour, d'avoir le droit d'aller et venir à moto partout. Je regardais Douch avec des yeux emplis d'une attention désespérée, et sa présence régulière, la proximité de l'endroit où il se tenait, étaient vite devenues la chose unique qui me reliait à l'extérieur et qui me rendait le souffle. Quand j'étais plus misérablement accablé qu'à l'ordinaire, c'était lui que je cherchais des yeux à travers le feuillage. Je l'apercevais assis qui soutenait sa tête, lourde de réflexions incommunicables. Le loisir que j'avais de l'observer était si grand qu'aujourd'hui encore je crois voir devant moi ce garçon de petite taille, maigre, comme moulé dans les basses voûtes des bambous sous lesquels nous vivions secrètement, toujours fléchi sous la pression d'une poussée obscure. Son corps de citadin mal converti semblait souffrir du froid humide plus que de la faim, dans ses nerfs plus que dans sa chair. On l'aurait dit continuellement las et sur le point de succomber. Et je méditais sur le fait qu'une dépense personnelle aussi grande pour le bien de ses semblables ne lui procurait qu'une place peu enviable dans la vie.

À M.13, je ne suis jamais parvenu à m'immerger dans cet état végétatif où nombre de détenus perdent pied à pied l'impatience et s'éloignent de ce qui leur est vital. Pour autant, mon isolement demeurait l'inverse de celui des ermites de villages dont j'aurais voulu m'inspirer, de cette impérissable aptitude à tirer intérêt des heures, à passer maître dans l'art d'étirer le temps, et d'en gommer les tensions. Car au-delà du tragique de l'horizon vers lequel nous dirigions tous nos yeux et qui nous affolait, il y avait le tragique de tous les jours, plus réel et bien plus profond, dont chacun souffrait, la faim, le froid, la solitude, mais qui faisait vivre tout de même. Ce quotidien dépendait du bon vouloir des geôliers. Loin de leur village, ceux-ci venaient apporter à la révolution leur jeunesse, leurs excès, leur ardeur, contraints par le chantage ou en échange d'une protection pour eux et leur famille. À peine arrivés, la corrosion morale désagrégeait leur jeune existence : la méchanceté, mais également la gentillesse autant que la sensibilité ou un certain degré d'instruction, et manifestement aussi l'intelligence, étaient superflus en un pareil emploi réservé à des adolescents. La théorie visait à les amender selon un schéma décisif unique, leur éducation accélérée impliquant une forme particulière d'exil, de discipline, de rivalité, de cruauté. La guerre démasque l'individu et fait ressortir distinctement ses différents côtés, dont tantôt le bon et tantôt le mauvais nous frappe l'œil. Et, comme c'est naturel en pareille situation, j'ai été affecté jusqu'aux larmes par le mélange de légèreté et de férocité qui les caractérisait tous. L'acquisition de la domination physique, si elle endurcit à tout prix, expose l'homme au jeu des forces diaboliques du dépérissement, et j'ai vu le germe de la corruption se développer de façon égale dans leurs différentes personnalités. Beaucoup faisaient route sans le savoir vers l'enfer de Tuol Sleng (qui n'existait pas encore), où ils seraient bientôt appelés à aller exercer leur talent, d'autant plus impitoyablement que déjà ils violaient ici leur conscience. Et l'on aurait dit que l'accord qui se produisait entre eux recelait quelque chose de bizarrement naturel, d'inéluctable, que cela relevait d'un ordre qui à la fois les rapprochait et les dépassait.

Toutes les lois habituelles étaient également suspendues. Nous nous trouvions au sein d'un monde d'une réalité extrême, dans un autre cercle du droit, à un autre niveau d'humanité. Happés par l'essentiel et dépouillés de tout, la survie au jour le jour devenait ici l'impératif majeur et imposait, pour échapper au risque du désespoir et de la folie totale, le déploiement d'une stratégie unique : d'abord manger. L'obsédante insuffisance des repas était le siège de toutes les pensées, et chacun entretenait un rapport silencieux et sacré avec la nourriture. Il y avait d'ailleurs quelque chose d'absolument divin, à bien y regarder, dans ce don qui était fait à tous – aussi minime fût-il –, alors que nous devions mourir. Les prisonniers affamés ne ressentaient aucune partialité à leur encontre, ils savaient que cette sous-alimentation leur faisait plier les épaules, prendre le sentiment de leur irresponsabilité, de leur inutilité, en même temps que du poids de la vie. Inversement, chez les gardiens, la seule idée de pouvoir manger bien ou plus apportait un sentiment de puissance.

En définitive, Douch me fit enchaîner à l'écart, près de l'entrée, au pilier d'un maigre abri qui jouxtait une éclaircie dans le fourré. La chaîne, si peu gênante dès l'abord, me parut être un signe humiliant, un symbole, plutôt qu'une précaution, à tel point que je m'asseyais dessus pour la dissimuler. L'endroit était à peine plus grand qu'un mouchoir de poche, mais il y poussait trois fleurs, venues de je ne savais où. De cette niche, que je retrouve fréquemment dans mes songes, je percevais une variété d'odeurs, de bruits, de gazouillis lointains, de bestioles curieuses qui circonvenaient l'espace, et ainsi mis à part, il m'était réservé d'ordonner mes pensées plus favorablement qu'entassé avec mes codétenus. L'intelligence des sons prenait corps en d'étranges figures musicales. D'autres fois déjà, le spectacle des formes de la nature, telle autant de sources de vie, m'avait doué de forces nouvelles. Mais là, c'était un trait de lumière que cette vision où se dévoilait la richesse de l'étroit terroir qui m'environnait, et l'imminence du péril, auquel je me savais inexorablement voué, mêlait au plaisir des choses que je voyais une complaisance nouvelle, pour la constance de leurs formes délicates et l'évidence de leur fragilité. Étrange phénomène : une légère modification de la position, un changement du regard, une différence de quelques degrés, suffisait, sinon à faire surgir l'enchantement, car je me rongeais d'inquiétude, du moins à introduire dans mon cœur quelque chose qui redonne de l'espoir. En de tels jours, on apprend beaucoup de choses, la souffrance y ajoute une expérience insoupçonnable. Je venais d'arriver comme un chien effrayé et l'épais brouillard qui m'assombrissait s'écartait devant ce tableau d'une nature que mes yeux éclairaient tels des projecteurs, jusque loin dans le sous-bois. Des images comme celle-là se sont gravées en moi. Je revois la belle clarté qui filtrait largement des hautes branches. Des pousses fraîches de lisière s'élevaient du renfort pour enrouler leurs tiges. Étonnant comme le fil de la vie s'efforce de poursuivre son cours même au sein de la désolation ! Et allez savoir pourquoi : j'ai le souvenir éternel d'un jeune figuier redressé dans le dévers qui poussait autour de son ancien niveau une fine chevelure de radicelles roses.

À qui n'est-il pas arrivé, alors que tout va mal, de voir pour un instant une aura exalter la réalité et d'éprouver l'envie de se laisser glisser sur la surface des choses ? Je me mis à tout regarder sous l'angle où je voulais me voir, et comme si mes yeux possédaient en eux l'habitude de cette réfraction, d'emblée mon regard semblait décomposer, spécifier, modifier ces extérieurs qui couronnaient le camp. Tout ce que je voyais sans l'examiner, ce que j'effleurais sans pouvoir le toucher, ce que j'observais sans le reconnaître, dispensait sur mes organes comme sur mes idées-mêmes un apaisement surprenant. Je me retrouvais optimiste sur les formes, sans toucher au pessimisme sur le fond. Ici, j'entrevoyais en filigrane que la partie la plus attrayante de la vie était celle qui s'édifiait sur la répétition des heures, réduisait sa durée jusqu'au présent idéal, qui surgissait par miracle du fond de mon existence inhibée. La nature me renvoyait ses stimulations en venant me faire signe, avec des mots touchants qui s'imprimaient dans mon âme, et il tombait sur moi de petites étincelles de cette jubilation dont elle était emplie. Puis je l'ai vue danser, s'approcher, m'adresser son choix de sensations nouvelles, et j'ai perçu qu'en me mettant sous ses charmes, elle entendait m'inciter à ne plus réfléchir, à ne plus pleurer, à me consacrer seulement à ce qui pouvait consoler, dans l'intention de me détourner des peurs qui me constituaient, à ne plus ouvrir les yeux que sur les joies de l'instant. Substituer à l'horrible dissonance du présent le lever des jours plein de fraîcheur et de promesse et, sans davantage réfléchir, consentir à un mariage de raison dans mes profondeurs les plus intemporelles. Accepter de vivre, de cette double vie qui fait douter s'il y a deux êtres en nous, si un misérable camelot n'est pas venu prendre le relais pour animer à notre place ce corps empli de si nombreux besoins qu'à tout moment on le sent prêt à se vendre…

L'existence nous détourne de tout ce qui nous effraye, sans autre considération, sans discriminer nos peurs ; celle qui nous inquiète de celle qui nous réchauffe et qui nous force à vivre : celle de l'amour pour lequel chacun tremble. Perdre l'être chéri. Ne plus prendre Hélène dans mes bras et l'endormir, ne plus voir chaque soir s'entrouvrir ses lèvres et s'entrefermer ses paupières…

Très vite, je n'ai plus entendu monter le son des larmes d'Hélène. Où donc voulais-je m'enfuir moi-même ? Ma vie devait-elle devenir ce que je percevais seulement, non plus ce que je savais, et mon cœur se distraire de tout ce qu'elle avait de beau ? Je n'avais jamais vu la nature si patiemment ni d'aussi près. Mais cette beauté, comme celle d'un paysage, si je ne pouvais la voir qu'à travers des grilles, il me fallait refuser que ce soient des soupiraux de prison. J'ai tout de suite rompu avec ses agréments trompeurs, désemparé par la perspective que, dans ce bas monde, même la souffrance pouvait avoir une fin.

*

Douch était venu échanger quelques mots avec moi au milieu du jour, une fois la tension relâchée. D'abord mes paroles étaient restées étanches, refusant d'aller jusqu'à former des phrases, comme si d'instinct je devais le sonder, à la manière dont les animaux devinent les humains et déchiffrent leurs desseins. De près, ses traits pouvaient faire peur au-delà de toute expression. J'ignorais encore que c'étaient ceux d'un homme qui vivait entre démons et cadavres, les premiers le poussant à l'action, les seconds à l'oubli.

Comme pour donner des garanties de véracité à mes affirmations, notamment sur mes activités de recherche, et réfuter en même temps les accointances qu'on me soupçonnait d'avoir à Saigon parmi les agents de la CIA et du KGB, je rédigeai plusieurs « déclarations d'innocence » et remplis, avec son accord, les pages d'un cahier d'écolier, que j'ai pu conserver : souvenirs d'enfance, dessins, poèmes, observations sur le bouddhisme, *mantra*, curriculum vitae. Rien d'autre, pas de notations au quotidien, aucune information, si ce n'est que j'y ai consigné en khmer, quand l'idée m'est venue le dernier jour de lui faire parvenir des livres et des médicaments, les lettres de son nom à rebours, sous une forme indéchiffrable, pour ne pas l'oublier (SA-MA-ḌA-U-CA). Aujourd'hui, s'il m'arrive d'ouvrir ce cahier dont le temps a jauni les pages, j'éprouve dans l'instant une curieuse espèce d'appréhension et d'épuisement physique qui m'a régulièrement empêché de le relire.

Ce qui comptait, avait-il insisté, c'était la déclaration d'innocence : « Si tu es innocent, il faut le dire. Écris-le. Fais ta biographie. » Était-ce si simple ? Douch en paraissait convaincu et ce trait m'avait décontenancé ; c'était comme une fenêtre par laquelle je jetais un regard sur le fond d'une énigme qu'il ne m'était pas permis de déchiffrer. À la fin, cela m'avait semblé risible : quelle foi accorder à pareil document quand on peut y mettre n'importe quoi, sans prouver ce qu'on avance ?

Je suis revenu de ce jugement trop rapide – je me suis désinfatué, mais seulement maintes années plus tard. À présent, je ne ris plus que de ma propre assurance. Dans l'intervalle, il m'est advenu d'intégrer une autre réalité plus profonde : pas une société qui ne dicte à chacun les termes de sa biographie... La vérité dénude l'individu pour rien, quand une élaboration juste et réfléchie, sur des bases convenues, lui laisse la liberté de faire sa propre image et de montrer patte blanche.

Chez les Khmers rouges, c'était une chose entendue : nul ne devait révéler quoi que ce soit ou retracer son histoire personnelle différemment de ce qu'on attendait de lui. Dans ces conditions, les déclarations d'innocence et les déclarations de culpabilité se faisaient pendant, chaque témoignage préfigurant une proclamation, adaptée et appropriée, de ce que tout individu donné se trouvait en droit d'afficher de lui-même. De là, l'intervention systématique du bourreau, dont la mission d'examinateur – contrairement à ce que je croyais naïvement –, n'était nullement d'obtenir des aveux authentiques, mais conformes. [2]

Dans la mesure où les crimes qu'on pouvait m'imputer n'existaient réellement que dans l'esprit de mes accusateurs, la violence s'imposerait comme le seul moyen de valider leurs soupçons. Placé dans cette situation, je n'aurais pas d'autre alternative que de me tourner vers mon interrogateur et d'écouter les suggestions qu'il me ferait en s'affairant sur moi, conformément aux attentes induites d'un questionnaire préparé en haut lieu. Ainsi parviendrais-je à exhumer de ma mémoire des souvenirs précis, congruents, parfaitement adaptés à des accusations prédéfinies, et que moi-même, dans un élan ultime et apaisant, je finirais par croire.

La frénésie des dirigeants ne s'arrêtera pas à la fabrication des confessions d'ennemis. Après 1975, leur action s'exercera parallèlement sur les récits autobiographiques des révolutionnaires eux-mêmes (les nouveaux *bienpensants*), dont la pratique deviendra une routine nationale qui s'étendra à des centaines de milliers de personnes. Pour être valables, toutes les biographies, dont la forme ressemblait à celle des confessions, devront répondre à des obligations tactiques constamment modifiées en fonction des nécessités du moment. À cet effet, Pol Pot déclarera que « les biographies doivent être bonnes et se conformer aux exigences [du parti] ».

Cependant, au moment des interrogatoires, le ton qu'employait Douch restait neutre avec moi. Malgré son âge encore peu avancé dans la vie, il pouvait saisir de suite les subterfuges propres à tous les hommes. Il donnait cette impression qu'offrent ceux qui ont exploré les zones les plus dangereuses de l'existence, celles où à aucun moment on ne doit laisser l'ennemi nous imposer sa loi. Sa bataille personnelle suivait toutefois des voies qu'il avait soustraites aux mécanismes ordinaires de la violence. Douch n'a jamais paru devant moi sous les traits de l'adversaire. Parfois même, son regard m'effleurait aussi, un regard mi-grave mi-douloureux, mais où toute faiblesse était absolument maîtrisée. Sa voix ferme et à la fois peu audible décortiquait les mots, alors que ce qu'il disait n'était jamais cassant ni péremptoire. Il semblait profiter de ces occasions régulières pour me regarder d'un œil mis à la plus petite ouverture, et prendre ainsi une vue plus nette de sa pensée et de l'avancement des miennes. Dans ses coups toujours subtils et avisés, difficiles à parer, l'homme ne bougeait jamais que des pions insignifiants à première vue. J'avais l'impression qu'il se glissait doucement dans tout ce que j'affirmais pour me percer à jour, puis, sans perdre une seconde, qu'il déchiffrait à sa manière, sous forme d'idées clairement élaborées, les indications que je donnais le plus souvent de manière assez confuse. Douch procédait par déductions serrées, avec le calme d'une démarche scientifique, n'avançant dans le vrai que s'il l'avait distingué du faux, et souvent après s'être assuré de mon assentiment ; mais ensuite, il n'y revenait plus. C'était d'abord une impression rassurante, mais bientôt terrifiante, car cette façon de faire pouvait aussi mener tout droit quelque part. Où ? Aucun de nous deux ne faisait semblant de l'ignorer.

En cela, sa tâche était donc moins de me percer à jour, pour déterrer mes plans, que de décider, au final, de mon autobiographie – celle de l'innocent ou du coupable.

Bien qu'il se sentît piqué par mes incessantes rebuffades, le jeune chef qu'il était ne perdait pas son sang-froid, et techniquement se maintenait dans le domaine de l'inquisiteur. Je pouvais être sûr que ce que je disais était rapidement disséqué et pesé en tant que symptôme de ma duplicité, de mes talents supposés d'espion. Vis-à-vis de l'« Angkar »[3], les seules réponses acceptables ne pouvaient être de ma part qu'un passage aux aveux. Dans ces conditions, que Douch s'en soit invariablement tenu à des mesures accommodantes était miraculeux mais me paraissait aussi démoniaque. À le voir de cette façon, je comprenais que son engagement dans la révolution était devenu constitutif de sa personnalité entière, que cet engagement représentait son apport à une résistance qu'il voulait afficher au grand jour, pas sous le regard des siens uniquement, sans jamais plus se replier sur les valeurs morales de l'intériorité – dans cette course à l'abîme où sombrent les hommes qui ont trouvé le courage de survivre, faute d'avoir eu celui de se laisser mourir. Et le plus terrible pour ceux qui avaient choisi de vivre, c'est que chacun était finalement tenu de combattre seul, que la liberté recherchée ne se trouvait dans aucun des partis qu'ils avaient embrassés.

En même temps, je sentais bien que le jeune homme voulait progressivement se rapprocher de ma personne. Il tournait autour de l'étrange individu transplanté que j'étais à ses yeux. De là peut-être le traitement intensif qui m'était appliqué, l'examen méticuleux de mes déclarations, les investigations sur mes tendances, mes intérêts, mes précédents, le tout recoupé soi-disant avec d'autres sources d'informations auxquelles il faisait référence à mi-mot. Pour moi, en tout cas, ces enquêtes représentaient les seules alternatives qui me permettaient d'espérer. À tel point que pour me briser, la plus diabolique des manœuvres qu'il avait à sa disposition aurait été la menace de me priver des interrogatoires.

Douch ne me montrait aucune hostilité. Peut-être que lorsqu'on le fouille, un être nous devient très vite familier ; on apprend son histoire, parcelle par parcelle, d'où maintes choses donnent de lui une connaissance diffuse, bien inférieure cependant à la connaissance exacte qu'il faut obtenir pour percer ses secrets. C'est pour cela que l'homme demeurait par ailleurs d'une réserve absolue. Et sans doute était-ce à chaque instant cette réserve qui me faisait sentir l'écart de fond, incommensurable au regard, au geste ou à la mine, mais définitif entre lui et moi. Ici, il fallait moins d'intelligence que de flair : il y avait dans sa personne l'affirmation de quelque chose d'impossible à définir, comme un recul que je pouvais comprendre. Et je trouvais extraordinaire de ne me sentir à aucun moment « sa » victime. Que ce jeune « spécialiste », tout en faisant œuvre si hautement volontaire contre l'impérialisme et l'expansionnisme, sût rester conciliant avec moi (malgré tout ce que je représentais), cela me paraissait par moments merveilleux et sublime. Je me figurais qu'on m'avait livré à lui et, dans cet arbitraire, que sa responsabilité n'était simplement pas engagée ; que le principe de ma relaxe n'était d'aucun enjeu pour lui. Je supposais, parfois, qu'il y avait entre nous le même rapport dépassionné et sans motif qu'entre les deux termes d'une relation de sens contraires. À l'inverse des autres prisonniers, méthodiquement perçus comme des ennemis personnels de la révolution, la discrimination entre Douch et moi ne résultait pas d'une opposition de nature. D'une certaine manière, je sentais que dans ce conflit qui avait mis un mur entre nous, j'étais aussi de son côté, par l'authenticité, par la franchise avec laquelle nous refusions de sortir de nos opinions respectives. Et si je constatais, forcément, que chez lui l'élément moral n'avait plus la même existence que chez moi, j'observais qu'il se tenait prêt à revenir sur tous ses soupçons, mais sans désavouer une seule de ses convictions.

Je crois également que du fond de sa jungle, Douch comme ses chefs sous-estimait la ressemblance des forces américaines avec les goliaths ; et cela le rendait peut-être un peu plus conciliant. Aussi était-ce une chose bien curieuse que les discussions qui s'élevaient parfois entre nous, quand je réfutais ses arguments tirés des éternelles rengaines que chantaient aussi les communistes en France. Douch souhaitait agir pour l'humanité. Sa dialectique glorifiait pompeusement l'Angkar ; en réalité, l'anticipation d'une catastrophe sociale universelle occupait son esprit et l'effrayait bien plus que les misères réelles de l'arrière-pays khmer à cause desquelles il s'était pourtant révolté au départ. Ce qui se passait autour de lui l'épouvantait moins que la vision d'un anéantissement futur, dont il pressentait la venue dans un espace soudain vide d'êtres humains, uniquement comblé de soldats venus d'ailleurs, et cette sorte de peinture rayonnait à même son visage d'une terreur fascinante. Je me retrouvais devant lui spectateur de cette guerre d'un temps immémorial, je voyais dans ses yeux se dérouler l'immortel tissu de sens et de non-sens de l'histoire, tel l'envers de la grande tapisserie qui nous masque la vérité sur les hommes.

À la longue, par le dialogue qui s'était noué et les échanges assez vifs que nous avions d'autre part sur la religion, l'éducation, la politique – il est vrai qu'en matière d'idéologie, on se contentait souvent de revenir sur les mêmes lieux communs –, Douch finit par se convaincre de mon « innocence ». Cette conviction, corroborée par le témoignage de mes deux collègues et la confirmation de ce que j'affirmais sur la base de sources qui avaient pu lui parvenir des villages d'Angkor, cette conviction devint l'origine d'un conflit entre lui et Ta Mok, le responsable local. Il s'agissait de prononcer rapidement le moment de mon exécution, tout détenu devant être éliminé à la suite de sa confession. Cependant, devant l'inconsistance des accusations portées contre moi, et peut-être aussi parce qu'une sorte d'intérêt amical était paru entre nous, Douch n'avait pu se résoudre à céder aux ordres, ni à laisser s'accomplir quelque chose qui lui semblait injuste. L'affaire était remontée jusqu'au Comité central permanent, dirigé par un certain Saloth Sar, le futur Pol Pot. Les recommandations de Ta Mok n'ont pas été suivies. Contre toute attente, j'ai été libéré[4].

La fraternité qui nous a brièvement rapprochés au cours des dernières heures, puis sur le chemin du retour, restera empreinte d'une sincérité, d'une profondeur et d'une gravité que très peu de personnes peuvent connaître ; sauf à courir les mêmes risques. Ce fut comme un pacte, contre nature, mais scellé en secret dans la lutte et la peur. J'étais libre, je savais aussi mon sort plus enviable que le sien. Avant de nous quitter, en plusieurs instants de silence, il m'a semblé communiquer avec lui mieux que par tous les mots déjà prononcés. À la fin, il s'en retourna rejoindre mes ex-codétenus pour continuer son travail, sans autre perspective que d'être entraîné dans la même catastrophe. J'eus la vision d'un de ces carnassiers qui peuplent les rivières, qu'on voit s'agiter au milieu d'un banc, avec l'ensemble de leurs proies sur lesquelles, à une grande distance, se resserre l'enceinte circulaire du filet.

*

Cela peut paraître incroyable : avoir enduré soixante-dix-sept jours d'une peur excessive (être exécuté d'un coup de bêche et laisser Hélène seule), couplée à un sentiment de culpabilité aggravé de paranoïa, et de cela ressortir indemne. Je veux dire dénué de considérations sur ce que j'avais subi. Au présent, des impressions faibles, peu de réflexions, pas de pensées approfondies, hors l'idée d'avoir été victime d'un accident stupide, dont les séquelles comportaient pour moi le péril de gâter ma vie en mettant un terme à mes recherches à l'EFEO. Mais pour le futur, aucun rejaillissement à craindre, pas de choc en retour, aucune connexité susceptible de m'atteindre par ricochet un jour.

Je me remémore pourtant la foule des pensées qui m'affectaient dans l'ombre. Or, ce que je percevais, je le ressentais en fait non point comme un phénomène limité, mais comme les symptômes ou les prémices d'un événement significatif, qui semblait déjà avoir marqué ma vie, dont la signification passait de beaucoup l'importance intrinsèque et la portée apparente, mais si peu abouti cependant que cela ne verrait jamais le jour.

En arrière-fond me revenait le souvenir d'un planteur du Sud-Vietnam (Jean Delhomme) que les bodoi avaient traîné de force avec eux, ligoté, yeux bandés, pendant vingt et un jours. Je l'avais rencontré peu après. Le calvaire qu'il avait enduré m'avait forcé à baisser les yeux, au point de projeter en lui des échafaudages de forces, de mystères et d'initiations, dont en comparaison, ma propre séquestration me laissait indemne. Mon épreuve à moi n'avait recélé aucune gloire, aucune révélation, et ma remise en liberté se trouvait entachée de honte : celle d'être revenu sans mes deux compagnons. En ce temps-là, on n'alertait pas les victimes contre un probable traumatisme à venir, non pas pour les en prémunir, mais pour en atténuer la violence. D'ailleurs, le choc ne m'est réellement arrivé que trente ans après, quand j'ai appris que Lay et Son avaient été exécutés. Que pèse la mort de tant d'autres victimes devant celle de deux amis dont on se sent coupable ?

Le plus jeune était un garçon discret, aimable, talentueux, que j'avais embauché à la Pagode d'Argent parce qu'il dessinait bien, et j'étais très attaché au second que j'avais connu à mon arrivée au Cambodge. Dépaysé sur-le-champ par tant d'autres façons d'être, j'avais compté sur lui pour faire mes premiers pas au profond des villages, mais aussi éprouver mon tempérament, mes façons de penser, mes acquis de jeune Français, et voir ce que je pouvais en tirer d'utile dans ce nouveau monde. Ma vie commençait, nous avions le même âge, et par son entremise, je pouvais simuler comme par un jeu d'improbables hypothèses, dont je me voyais toujours sortir la tête haute, à l'image de ces paysans endurcis dont je désirais tant me rapprocher. Lorsque nous parlions ensemble, j'affirmais qu'il y avait des choses que je ne ferais jamais...

Mais dans les Cardamomes, obtenir fièrement la libération de mes deux amis en même temps que la mienne, en mettant juste sur la table mon refus de partir seul, était un coup de poker bien présomptueux. Supputant mes chances, Douch me le fit comprendre sans ambages. Le risque était de compromettre ma propre libération, en remettant l'affaire dans les mains de Ta Mok. S'il était permis que je m'en retourne, c'était en qualité d'étranger. La révolution avait besoin que Lay et Son restent, là où se trouvait leur place, c'est-à-dire dans le maquis. Alors, j'aurais voulu qu'on me batte, pour éviter d'avoir moi-même à faire le choix de repartir, incapable de bluffer plus longtemps à un jeu où je n'abusais que moi-même. Je suis donc retourné seul sur mes pas, sans demander mon reste, après être allé m'asseoir un moment auprès d'eux, avec la lâcheté soudaine de l'être sans force qu'avait fait de moi l'annonce de ma libération. Comme celle de Sarah, la leur mettait la mienne en danger ; et dans cet échange accablant, ma vie devenait plus chère que la leur. Je hais ce moment de mon existence sans lequel j'aurais pu vivre serein, et avec suffisamment d'aplomb pour continuer à juger mes semblables. Quand nous nous sommes dit au revoir, d'un dernier signe de loin, le spectacle que je donnais de moi-même devenait si piteux que pendant un instant j'ai vraiment voulu croire, comme eux-mêmes en étaient convaincus sans me le dire, que ce départ, sous le couvert de ma libération, était bien mon dernier voyage, que je marchais à mon tour vers une mort imminente.

En ce temps déboussolé vers lequel m'avaient fait rétrograder les Khmers rouges, dans cet espace où rien ne se passait, où la mort s'était tellement rapprochée que chacun en tenait compte, pour les plus petites décisions – savoir, par exemple, s'il valait encore la peine de percer un furoncle –, j'avais vécu comme à l'intérieur d'une société secrète, avec ses châtiments, ses mystères, ses leçons. Le pénitent y faisait l'apprentissage du silence, ce silence mortel dont je me sentais affecté depuis l'adolescence et que je retrouvais maintenant avec un atroce arrière-goût de déjà-vu.

Quant à Douch, il me devint difficile d'en parler. Je crois même, tout de suite après ma libération, que l'homme n'existait déjà plus pour moi – ou plutôt pas encore –, si ce n'était en tant que rouage parmi d'autres rouages que j'avais croisés, dans un monde d'automates, dont lui ne pouvait plus s'enfuir. Mais sur lui-même, plus rien !... Sur sa personnalité, ses contradictions, ses dérives et ses rêves, comme sur mes amies les poules, l'épouvante des feuillées, les jeunes gardes auxquels il fallait rendre des comptes, la mortification des chaînes, mon poteau bien-aimé, mes sanglots, la mygale, la petite fille sous ma protection, les éclairs de chaleur comme des coups de briquet dans l'air, mes dangereux mouvements d'impatience, la faim qui mobilise l'esprit, le piaillement incisif du loriot, l'érection qui m'avait sorti du sommeil, l'arbre *chhlik* à tronc blanc, les nuits d'orage au travers des bambous, mes coups de colère, l'irruption des petites chauves-souris à la tombée du soir, le bruit lointain d'un camion, l'indifférence des avions, la baraque des gardiens, mes accès d'inquiétude, les tourments du désespoir que je promenais sur tout et qui ne trouvait rien qui me calme, et cette peur bleue tout à coup – dont je ne me remettrai jamais –, quand j'ai découvert que celui qui s'ingéniait à me sauver était aussi celui qui s'évertuait à cogner. Rien !... Rien, sur cela non plus... Rien.

La veille de mon élargissement, n'étant plus tout à fait contraint de se taire devant moi, Douch s'était mis à parler avec moins de prudence, comme on découvre finalement sa pensée à quelqu'un qu'on ne reverra plus, sur une question parfois qui nous importe si fort qu'on ne s'en est justement jamais ouvert à quiconque. Douch consentit à m'expliquer

les choses froidement mais avec sincérité, sans réti-
cence, en n'en voulant à personne, se référant seulement à une tâche dont il faut bien s'acquitter, l'air
de dire, avec un geste de la main : « Eh bien oui, que
crois-tu, c'est évidemment ce que je dois faire... »
Bref, le jeune chef responsable, avec qui je parlais
tous les jours, que je voyais depuis des mois, dont ma
vie dépendait, que j'essayais de deviner en le scrutant
longuement, s'était rendu sur la nécessité de frapper
les prisonniers lui-même.

Mais les confessions se déplacent avec le regard que
chacun porte sur elles. Torturer, pour lui cela faisait
partie d'un ensemble. Ce n'était rien d'autre que
mettre l'ardeur de son engagement en pratique,
moyennant l'adéquation de l'acte avec la grandeur de
l'intention révolutionnaire. La victoire contre l'impérialisme était à ce prix. Il m'a fait comprendre cela en
peu de mots, sans chercher midi à quatorze heures,
sans nier, selon ses propres paroles, l'horreur d'une
besogne qu'il ne pouvait accomplir qu'en se mettant
« hors d'haleine », au sens propre.

Trente-huit ans plus tard, appelé par les juges à
éclaircir ce qu'il m'avait dit des sévices exercés sur les
prisonniers [5], Douch s'est souvenu qu'à sa première
tentative de frapper il avait dû s'arrêter, pris de
vomissements, trop éprouvé par son effort personnel
dans l'action.

J'avais rapporté l'épisode par écrit, dans l'entière
gratuité de ce qui s'était passé, sans intention
morale : ce 24 décembre 1971, j'étais à M.13 et telle
chose advint, à la tombée du jour, qui m'avait glacé
le sang. Sur ce chemin-là, le jeune chef était devenu

mon aîné, et j'avoue que j'ai eu besoin de beaucoup d'exercice pour m'accoutumer à le voir par ce biais.

L'idée qu'il pouvait être un tueur lui aussi m'avait effleuré à plusieurs reprises, mais cela me semblait aussitôt dénué de tout bon sens. Chaque fois qu'il aurait pu se laisser surprendre ou se découvrir devant moi, ce que j'en devinais me persuadait du contraire. Les responsabilités qu'il avait acceptées, en tant que maillon essentiel de la chaîne qui reliait chaque prisonnier à l'Angkar, paraissaient l'avoir entraîné à ne mettre au service de la révolution que son intelligence, que son habileté dans l'art de résumer et de rédiger des rapports. La violence sur les prisonniers n'était pas son domaine.

Mais près du feu qui crépitait devant nous ce soir-là, tandis que m'envahissait l'approche d'une libération à laquelle je m'efforçais de croire, les mots sortis de sa bouche, comme on lâche à quelqu'un la clef d'une énigme, ont dirigé mes yeux vers des aperçus complètement nouveaux. Je me souviens de leur fragilité lorsque sa voix s'altéra pour me faire écouter en même temps son cri et celui de ses proies. L'homme avait en vue de me restituer la douleur des victimes afin que je mesure mieux la sienne. Tout mon dégoût s'est porté sur son sacrifice, mais soudain comme quelque chose de déjà ressenti. Entre le feu des braises et des flammes qui brûlait sous nos yeux, la chaleur a supprimé toute espèce de démarcation et nous a rapprochés. En cette veillée de Noël, le ciel tout entier s'est effondré sur ma tête. Je me suis vu octroyer une panoplie de bourreau qui m'allait comme un gant... Je m'en savais capable, mais la conscience de mes crimes demeurait sous-jacente, ce n'était plus moi, je ne voyais qu'une image, un reflet. Pourtant, n'avais-je pas déjà décidé de m'évader et de tuer à coups de pierre – fût-il un enfant – le premier qui se mettrait sur mon chemin ?

Ces quelques secondes firent voler en éclats l'espace qui me séparait du fond de moi-même, en un brusque dénouement où j'ai compris que l'humanité n'était une exclusivité pour personne. Un autre homme était toujours mon semblable, jusque dans l'abîme. La *permanence de l'homme* [6] m'est apparue ici dans le pire de tout ce qui se faisait sur terre ; et la question se posait, au fond, de l'archétype que reproduisait chaque fois cette permanence dans des myriades d'individus.

Il est évident que j'étais le seul auquel Douch puisse dire ces choses, peut-être pour éprouver son honnêteté sans risque, mais aussi pour me défier quand il me voyait croire si facilement que la violence n'était que le choix des brutes. C'est un fait que son second en avait tout le profil : un type costaud nommé Soum [7], buté, imperméable aux sentiments d'autrui, dont l'intelligence obtuse s'unissait à la brutalité. Face à ma franche naïveté, le jeune bourreau s'est résolu à me provoquer de façon si directe, dépourvue de calcul, et en même temps si terrible à la fois, que je me suis arraché les cheveux de désespoir à l'idée qu'à sa place j'aurais pu faire la même chose.

La confidence n'était sans doute un secret que pour moi, et semblait insensée par là-même. Je l'avais reçue cependant comme une preuve de confiance.

Mais pareille franchise, de la part d'un homme fourvoyé au point de le reconnaître lui-même et plus encore de le dire, avait achevé de me décontenancer. Nous étions restés sans causer, dans la fumée d'un foyer dont le pétillement des derniers tisons ne parvenait plus à recouvrir les bruits rougeoyants de la nuit. Douch avait gardé cette expression particulière, ce sérieux qui lui était spécial, par la différence de son regard avec les autres regards, et cela me donnait maintenant une tout autre idée de ce qu'il y avait de singulier en lui : la présence d'un secret qui ne lui permettait plus de voir l'homme comme je pouvais le voir moi-même. Ses paroles terrifiantes, livrées sans détour, sur le ton qu'on prend pour évoquer la fatalité d'une loi ou l'évidence d'une chose dont on ne peut qu'accepter l'injustice, retentirent en moi avec une détresse accrue d'autant que le sens de son témoignage se faisait plus proche : l'existence obligeait à jongler avec les aléas, et le même homme devait vivre en chassant les remords de son âme, en faisant coexister l'égoïsme et le généreux, l'idéalisme et le cynisme, l'honnêteté et le mensonge, le cruel et le sensible, la mort de l'autre et sa propre mort, continuellement entre deux dangers dont chacun tendait à surpasser l'autre. Devant Douch, mon esprit s'est trouvé à la tâche comme devant une serrure à combinaison ; l'étrange, n'y ayant que si peu touché, semblait qu'elle devenait à proportion plus simple, et je pressentais rapidement que c'était mon propre cœur, que c'était moi-même que je tentais d'ouvrir, que l'énigme qui se posait en lui était l'écho de celle qui se trouvait en moi.

Cet instant nous a révélés à nous-mêmes et à l'autre, comme s'il ne pouvait y avoir de connaissance de soi que grâce à une reconnaissance. Je suis entré dans une résonance si atroce avec Douch, doublé d'un tel sentiment d'identité, d'appartenance, de réciprocité, de responsabilité commune, que je me demandai si je ne courais pas quelque risque en n'appelant pas au secours, si je ne glissais pas à une sorte de complicité en ne disant rien, en ne m'insurgeant pas, en n'ayant pas l'air de condamner des actes dont je craignais soudain qu'ils puissent être les miens.

*

De retour à Phnom-Penh, une fois Hélène et ma famille retrouvées avec une joie que je ressens encore, j'imaginais bien que cette histoire pourrait laisser des traces, mais je n'ai plus parlé de tout ça. À vrai dire, je me suis d'abord préoccupé du danger pour moi d'être renvoyé en France. Mon malheur eût été de devoir quitter le Cambodge. C'était ce que le Conservateur d'Angkor avait d'ailleurs prévu, comme je m'y attendais. « Pour vous, il n'y a plus rien ici. » J'écrivis à l'EFEO afin de rendre compte au directeur de ce qui s'était passé. J'expliquai qu'aux mains de mes geôliers j'avais modifié ma problématique de recherche et décidé de me consacrer aux textes en langue khmère. Je lui demandais qu'il continue à me faire confiance. Jean Filliozat m'a tout de suite envoyé un message disant en deux mots qu'il avait régularisé mon absence. « L'ordre de mission est dans votre dossier. » Pour la première fois, j'avais le sentiment d'exister au sein de l'École, d'être admis dans ses rangs, d'appartenir à cette famille de gens à part que j'admirais tant. Foin de la guerre et des Khmers rouges, ce jour-là fut l'un des moments les meilleurs de ma vie !

Toutefois, au-delà des assurances côté français, le risque d'une revanche des militaires de Phnom-Penh ne pouvait pas être exclu. Il leur était loisible de décider de mon expulsion, avec une arrière-pensée de représailles à l'encontre de la France favorable aux révolutionnaires, ou au motif que j'aurais pu pactiser avec les communistes en échange de ma libération. Dans la peur de me trouver une nouvelle fois suspecté d'espionnage, j'avais tenu à traduire moi-même, avec des précautions de voleur, les documents que la guérilla m'avait remis pour la France, refusant de me fier à la discrétion des interprètes cambodgiens payés par l'ambassade.

Sur le plan individuel, aucun trouble suite à ma détention. J'avais raconté ce qui s'était passé sans problème, aussi bien à mes proches et au chargé d'affaires qu'aux autorités militaires. Un haut gradé du cabinet de Lon Nol avait même tenu à me questionner lui-même, avec beaucoup de ménagement, en présence du consul. Simplement, quand il s'agissait d'évoquer certaines choses, de m'attarder sur quelque détail ou un souvenir anodin, je rapportais sans difficulté ce que j'avais perçu, mais sans rien pouvoir révéler de personnel. Une sorte d'inhibition de mes pensées semblait tout filtrer au fond de moi. À ce jeu, et en quelques semaines à peine, j'avais comme perdu la mémoire des humiliations endurées, de la honte, jusqu'au nom même de Douch. Je me sentais lié à ce dernier, je lui devais d'être revenu, d'être vivant, j'en avais conscience. Or il y avait bien plus, mais je ne voyais pas comment l'expliquer, par quel biais sortir de mes profondeurs, divulguer ce qui était de nature si caché, ou si confus, sans me fourvoyer dans d'interminables cheminements que je n'aurais pas la force de suivre jusqu'au bout. J'en ressentais d'avance une immense fatigue. Tout au fond de moi, j'avais gardé du souvenir de Douch une peur fondamentale, incommunicable.

*

Mon expatriation au Cambodge avait d'abord procédé d'une forme d'insociabilité mêlée à un très vif désir de dépaysement, comme si c'était d'un pays lointain que devait venir le bonheur. Ce départ reflétait, depuis la mort de mon père, l'état d'esprit avec lequel je commençais maintenant à regarder devant moi : me mettre en route, pousser dans une même direction aussi loin que possible, même avec une confiance désormais entamée.

En même temps, je ressentais qu'à mon ambition de faire de la recherche présidait un besoin intense et nouveau d'écriture : pas seulement celle de l'ethnographe qui note, qui consigne, issue de nos facultés objectives, mais celle qui vient en dedans et que j'entr'apercevais de plus en plus comme une représentation de la pensée. Au village, il m'avait tout de suite fallu distinguer entre ces deux régions de nous-mêmes, l'une matérielle, l'autre spirituelle, alors que chez le chercheur les deux sphères se séparaient plus rarement. Toutes deux relevaient d'une position de l'esprit et d'anticipations communes qui se complétaient à des plans différents, ici l'indice d'une hypothèse, là l'image ou le mot inattendus, après quoi la couleur des choses change, leurs correspondances se dévoilent. Je croyais jusque-là qu'il fallait penser en amont pour écrire. Il m'apparaissait soudain que je devais d'abord écrire pour me mettre à penser, comme si la connaissance de soi dérivait lentement au courant de l'écriture.

Pour moi, écrire devint un travail de mosaïste, mais le plus proche également du champ de l'enquête, de mes incursions de terrain, la vraie difficulté reposant dans l'adéquation de ce qu'on parvient à voir et de ce qu'on peut reproduire. Se lancer à la première intuition, regarder d'instinct, écouter, ressentir, et pour finir arriver à quelque chose d'assez éloigné de ce qu'on supposait au départ, mais plus conforme à ce qu'on va penser ensuite. Écrire suscitait des questions, niait des évidences, faisait se rapprocher de soi en s'éloignant d'autant, dans un espace idéal où mes observations trouvaient à se déployer, entre le regard, la langue, l'écriture.

Dans la foulée, j'y ai découvert le monde inattendu de l'intersubjectivité, en la présence d'un allocutaire qui ne me quittait plus, mais auquel je me suis adressé comme si c'était un autre. Nous n'écrivons jamais seul mais à l'ombre d'un clandestin qui s'exprime à notre place, parle à notre oreille, devient notre interprète, et qui nous fait entendre ce que nous voulons dire. Sous son escorte, je me suis lancé sur des sentiers peu sûrs, parmi les plus aventureux, où je n'ignorais pas qu'un dédale de complications allait mettre ma raison en échec, mais poussé par l'idée qu'« on ne peut jamais aller aussi loin que lorsqu'on ne sait plus où l'on va »[8].

C'est une chose étrange que cette obstination. Je prête à cet effort une valeur secrète, tant il est vrai que le but qu'on s'assigne est rarement celui qu'on atteint. L'être au repos et l'être sur les routes sont en nous dissemblables.

Chacun veut se régler sur lui-même, apparaître dans son être authentique, avec l'uniforme qu'il a reçu, mais la vie est là sous forme d'occasions, d'injonctions, et son pouls insensible le charrie avec tout ce qu'elle entraîne derrière elle de bon et de mauvais. Et ce qu'il appelle la vie, c'est le nombre des surprises qui s'inscrivent en marques indélébiles dans sa chair, à des intervalles inégaux, selon des temporalités indistinctes.

À mon arrivée à la Conservation d'Angkor, j'avais eu l'impression de m'acheminer vers d'étranges événements, difficiles à imaginer, tant il est vrai que tout était nouveau pour moi. Sans attendre, en s'interposant entre mes yeux et les choses, le pays khmer a placé ses filtres sur la berge opposée où j'ai porté mes pas, et j'ai tout de suite évacué le logement que j'avais dans le fond du campus réservé aux Français. À moi qui rêvais d'autres formes d'émulation, comme de découvrir un monde où je perdrais mes repères, libre de toute espèce de gage, fut offert dans la campagne cambodgienne un espace sans limite, avec des perspectives grandioses que j'ai désiré faire miennes.

L'assurance de m'accommoder avec cette existence n'appartenait qu'à moi, et je me suis entièrement soumis à la nécessité d'établir tout de suite des parallèles sans délai, de me confondre avec les gens pour mieux les décalquer, de nouer des relations sans truchement, comme procèdent les voyageurs en riant ensemble. On laisse percer ses sentiments au-dehors, on raconte une histoire, puis sa vie, les heures passent, et l'on s'en va tranquillement, content d'un rien, comme si soudain l'on s'était mieux perçu soi-même. Des années plus tard, c'est cette propension à imiter mon prochain qui m'a sauvé des mains de Douch.

Au Cambodge, je me suis senti très loin du formalisme qui battait son plein en France. C'était l'époque des systèmes englobants. Le structuralisme s'imposait comme la voie d'accès la plus sûre à la vérité. Mais la question de l'implication personnelle du chercheur, qui risquait de mettre sa propre subjectivité en jeu, ne se posait pas pour moi. Je ne me sentais susceptible que d'une chose : vivre à fond avec tous mes affects, mes valeurs, mes représentations, sans chercher à me situer par rapport à un « objet d'étude », ni à sortir intact de mes observations. Si je désirais comprendre ce qu'était mon semblable, je ne pouvais ni ne devais éviter d'être remis en question par lui. Ma quête relevait d'une approche intime de l'autre, son sens questionnait mes orientations et mon envie de savoir, son objet me forçait à passer « du surplomb » aux significations qui émergent du monde : la nature des arbres, les chants d'oiseaux, les particularités de la charrette cambodgienne, le mystère des textes sacrés.

Quant au Nancéien que je ne cessais pas d'être, établir mes pénates en cette terre d'asile fut un combat contre mes habitudes mentales. Je suis persuadé que ce haut degré d'implication personnelle m'a fourni les clefs dont j'avais besoin pour découvrir que l'homme pouvait être humain de multiples façons, avec toute la gamme des nuances, en des variations où les sentiments les plus ordinaires, voire les plus révoltants, peuvent prendre des valeurs précieuses.

Arrivé à Srah Srang, je fus prié d'assister aux rites crématoires d'un viel homme du village, décédé depuis peu. En partage avec les autres membres présents, le droit d'ingérer un petit morceau de foie du défunt, extrait des cendre du bûcher et encore tout brûlant, m'échut comme une prérogative de ma récente parenté avec lui. L'idée sous-jacente était de faire participer chaque convive de son ascension vers le ciel. Pour moi, ce fut la première occasion de me conformer aux étranges convenances, opinions, règles, du monde inconnu dans lequel je m'étais déporté.

Mes dispositions n'avaient donc absolument rien de naturel, le voisin d'à côté pouvait en avoir de tout autres, et parmi les plus difficiles à comprendre… Étrange de voir comment se rassemblent les moments de l'existence, comme si tout ce que nous vivons n'était pas tissé d'un seul fil. Et tandis que je trouve aujourd'hui merveilleux le hasard qui m'a réuni avec telle ou telle de ces apparitions, je ne peux m'empêcher de penser à Douch, tel à un extraterrestre que j'ai lui aussi rencontré sur la route.

Notre destin entre en scène par des portes dérobées, et toujours accoutré d'un nouveau déguisement. Je me demande d'après quel modèle notre mémoire fait ses choix au milieu de la foule, parmi les êtres qui se distinguent des autres. Comment expliquer l'influence que ces personnes exercent en permanence sur nous ? Cela doit tenir à une part spéciale de leur force vitale – cette force en eux que nous ressentons aussi, par-delà toute morale, et que nous reconnaissons parce qu'elle fait partie de l'héritage commun.

Dans ce repositionnement, censé faire de moi l'homme différent que j'avais envie d'être, mon tout premier mouvement de terrain, le moins réfléchi, fut le plus décisif : je mis la main sur un important fonds de manuscrits anciens, stockés et recopiés depuis des siècles dans l'arrière-pays, et que j'entrepris assez vite de traduire. Le bombardement des villages par l'armée ravageait les pagodes, et les vieux moines m'appelaient pour que j'enregistre leurs trésors avant que tout disparaisse avec eux. Sauver les derniers textes de cette littérature prit pour moi la dimension d'un devoir personnel, dans lequel je m'investis sans réserve.

Tout au long de ma vie, ce travail de bénédictin a englouti beaucoup de temps, mais je le considère comme la lice dont j'avais personnellement besoin pour développer maintes finesses de mon discernement. Car traduire, c'est établir des ponts ; c'est projeter une pensée, une langue, hors d'elle-même. C'est contourner son esprit dans une gymnastique extrême, jusqu'à glisser d'une façon de voir à l'autre pour la restituer avec son étrangeté, en veillant à ne rien gommer, à ne pas l'adapter à nos propres images, à créer en soi un espace suffisant pour en accueillir de nouvelles, sans les banaliser, sans en noyer le message spécifique ni les réduire aux limites de notre propre langage, c'est-à-dire du monde dans lequel il nous avait jusque-là été donné de regarder, d'aimer, d'exister. Une langue se distingue d'une autre par son style, exactement comme un peintre se remarque à sa façon singulière de considérer la nature. Comparer des langages humains, mettre en balance des adéquations, transposer dans un système ce qui se trouve exprimé dans un autre, c'est apprendre à peser des acceptions de termes tirées d'une vision différente de la vie ; la tâche réside dans notre plus ou moins grande disposition à réviser la nôtre. Pour cela, il faut effectuer un saut, et ce saut n'est pas un déplacement, c'est une transformation.

Si j'essayais de me rendre compte de ce qui se passait dans la tête du paysan avec lequel je voulais entrer en communication, ce que j'avais à faire pour le comprendre n'était donc pas de copier mais de traduire, en tablant sur le fait qu'un inconnu ne livre jamais de ce qu'il se dispose à dire qu'une image modifiée par ses hésitations, par ses présupposés. Il fallait prévoir que ce qui me serait intelligible me serait aussi trompeur. Ainsi, faire en sorte que ces êtres lointains, inatteignables, je veux dire dont tant d'interdits nous maintenaient à distance, me livrent dans leur langue quelque chose que je puisse énoncer dans la mienne, au travers d'une démarche humaine, globale, sensible, personnelle... Je devais tout mettre en œuvre pour me distinguer d'eux le moins possible, mais aussi me braver moi-même pour mobiliser en moi de nouvelles dispositions de l'âme.

C'est ce défi qui me dépassait, ces marottes contractées en arrivant sur place, cette manie de vouloir systématiquement percer mes semblables pour les tâter de l'intérieur, qui se sont transformés en une opération cauchemardesque, après mon arrivée à M.13. Car c'est une chose que d'investir de son expérience particulière la condition humaine d'autrui, et c'en est une autre que de s'infiltrer en lui, en prenant sa forme, lorsque cette forme s'avère intolérable et cependant si congrue qu'on ne peut douter qu'elle soit aussi la nôtre. Un geôlier khmer rouge, c'était le contraire de moi, mais c'était encore moi, jusque dans la décadence.

L'empathie qui m'a peu à peu fait comprendre ce que ressentait Douch comme si je l'avais ressenti moi-même, fut liée aux circonstances qui ont conduit à ma libération. J'avais vu dans ses reculades, ses soupirs, ses hésitations, se concentrer tant de matières obscures que la seule cause agissante possible, celle qui lui permettait de mobiliser tout son courage ainsi que toutes ses forces dans le camp, ne pouvait plus provenir d'autre chose que de son esprit de rationalité. Et tandis qu'enchaîné devant lui, je le regardais comme mon contemporain, que les mots qui transparaissaient de ma frayeur disaient : « Je ressens, je partage, je fais miens ton effroi et ton sort », je l'affranchissais de sa propre frayeur, et parvenais, sans l'avoir calculé, à lui cacher l'image haïssable (« N'as-tu donc pas pitié ? ») que ses autres victimes renvoyaient toutes sur lui. Mon visage devenu le sien fut ce qui lui a interdit de me tuer [9].

*

Ma réapparition à Phnom-Penh eut un certain retentissement. J'avais vu le diable de près avec ses

70

anges révoltés danser au milieu des flammes, et en homme averti, revenu de l'autre monde, mes doutes sur la victoire des républicains étaient de mauvais augure pour ceux qui, n'aimant pas les Rouges plus que moi, escomptaient leur défaite. Concernant mes collègues, même parmi les plus proches, comme beaucoup de Français dont les positions touchant le Cambodge et la guerre au Vietnam étaient politiquement si tranchées, il eût été déplacé de mêler à cette situation des troubles existentiels qui n'appartenaient qu'à moi, en particulier les péripéties d'où était sorti le dénouement imprévu de ma capture. Concernant le chef de M.13, pas de demi-mesure : soit les gué-rilleros étaient des terroristes, soit on leur trouvait des vertus ; c'était chacun selon son camp. Sortir de ce tri par dichotomie et recouvrir d'autres partages n'étaient pas au goût du jour. Quelle que soit la forme d'humanité dont avait fait part mon libéra-teur, il restait le partisan d'une révolution haïe et la sympathie qu'il pouvait susciter risquait d'exercer une séduction dangereuse dont il fallait se méfier. Dans la capitale, de toute façon, on éprouvait la guerre en exagérant les préoccupations de chacun, sans beaucoup de considération vis-à-vis des paysans qui n'avaient pas d'autre choix que de pactiser avec les communistes, et tout se mélangeait. Confronté aux actions déplorables des troupes de recrues pro-américaines et à la déconcertante bêtise des pro-chi-nois de tous poils, le pays entier s'enfonçait chaque jour un peu plus dans le découragement. Si les forces en présence pouvaient modifier les arguments de la violence, aucune ne changeait ses méthodes. Il était facile de prévoir qu'on descendait de part et d'autre dans des couches où aucun mérite ne subsistait plus, où seule la douleur conservait tout son poids.

Les pensées consécutives à l'exacerbation de mes sens sous la férule khmère rouge – ce pouvoir de sentir par l'intérieur qui dépassait la simple compréhension – me revenaient à Phnom-Penh sous la forme d'*a posteriori*, en contradiction des codes intellectuels de mes contemporains. Je ne parvenais plus, ni à raisonner comme eux, ni à raisonner comme moi. Il me semblait manquer de liberté pour faire entendre ce que tout mon être voulait dire, sur mes propres ressorts, l'instinct caché des hommes, l'autre visage du bourreau, en un mot sur toutes les vérités contraires à la morale publique. Quelle qu'eût été la part de la clémence de Douch dans ma libération, les mécanismes psychologiques mis en place, au sein de sa conscience comme de la mienne, prenaient des résonances sur lesquelles je n'osais pas revenir, parce que cela me mettait en porte-à-faux avec ma propre éducation. De ce passage paradoxal, je rapportais une impression d'énigme et de profondes zones d'ombre. Ainsi, pourquoi ne pas avoir pris Douch en haine ?... Avais-je été sa victime ou non ? Je m'étais affronté à lui sur ce qu'il y avait de plus vrai, de plus sincère, de plus authentique en nous, sans un seul moment partager l'engagement pour lequel il était prêt à mourir et donc à tuer. Mais sur le moment, il me paraissait possible de comprendre ce qu'il faisait, ce qu'il avait à faire, aussitôt que je m'en représentais les motifs. Dans ces instants, la cruauté de sa fonction n'était plus à mes yeux que le désespérant reflet des conduites humaines les plus basses, toutes issues du même abîme originel.

Certaines personnes sont des verres grossissants qui nous font discerner le grand fond tabou sur lequel nos pupilles accommodent si mal. On peut y contempler ce qui se dérobe d'ordinaire sous les secrets de chacun. À M.13, je suis parvenu à pénétrer ces choses par toutes mes perceptions optiques, et la soudaine vision d'un Douch assez semblable au reste des mortels fut un défi à me battre, dans un combat essentiel contre moi-même que je ne terminerai pas, je le sais maintenant.

L'homme en péril de mort, quand les conditions le permettent, prend le parti de sympathiser avec ceux qui le menacent. J'avais déjà fait des expériences de ce genre comme tout le monde, à l'école ou avec quelques-uns de mes amis, mais ici, dans ce camp d'extermination, cette position équivoque du garde et du condamné, que la victimologie a popularisée plus tard sous le nom de syndrome de Stockholm, m'a fait éprouver en moi-même l'impression d'une chute. Le phénomène relève du réflexe qui incite toute victime à s'attacher au destin de son propre bourreau, parfois même à le défendre, jusqu'à refuser ensuite de comparaître contre lui. Avec Douch, je crois que je suis allé encore plus loin : écarté de tout et surpris dans ma nudité la plus pauvre, la crainte m'a forcé à me rendre non pas bêtement « sympathique » avec lui – cela n'aurait pas eu d'effet –, mais à improviser de multiples scénarios d'approche, afin d'éprouver à fond et le plus sincèrement possible toutes ses réactions, de captiver son attention et de le sensibiliser à mon sort. Le « séduire » intuitivement, à ma manière, en sorte d'être crédible, et que se développe entre nous un sentiment réel d'identification. Je jouais là ma vie, sans prendre le risque de tricher, me moquant de démêler le conscient de ce qui relevait du subconscient, et j'ai placé tous mes espoirs en lui, avec rage, mais de tout mon cœur. Par exemple, j'ai manœuvré l'air de rien pour le mettre face aux conséquences de ses actes, trouvant par des chemins détournés le moyen de lui faire sentir, en les exagérant, l'ensemble des risques intrinsèques liés à ma disparition : une littérature normative à peine découverte et bientôt perdue, des rites ancestraux jamais étudiés, sans oublier une enfant en larmes qui réclamait son père quelque part... Je crois aujourd'hui qu'aucun homme ne résiste à cela ; sa faute fut de m'écouter, ma force, de me faire entendre.

De même que Douch avait prévu de ne pas me torturer et de recevoir en douceur des aveux plus complets, de même j'avais imaginé d'un point de vue tactique que c'était en restant franc jusqu'au cri, jusqu'à la révolte, que mon innocence lui apparaîtrait le mieux ; je savais qu'on se méfie plus distinctement de l'homme lorsqu'il déguise sa voix. Et à ce jeu, compte tenu de la relation de soumission que Douch entretenait avec ses chefs, on peut se demander jusqu'où lui-même n'est pas aussi tombé dans un rapport équivalent de dépendance avec moi, en réaction contre sa propre conduite à mon égard, au point de me protéger et de refuser de me tuer, prenant ainsi vis-à-vis d'eux, et notamment de Ta Mok, un comportement pareil au mien vis-à-vis de lui.

Nous avions sans doute l'un et l'autre une certaine conscience de la situation, mais seulement à mi-course, à mi-mot, car personne ici ne semblait avoir encore assez de temps pour penser : dans cet espace emprisonné que nous occupions tous et où chacun avait sa place, personne ne songeait à autre chose qu'à durer. Or il venait un moment où la sécurité personnelle, paradoxalement, passait à l'arrière-plan ; le besoin de « continuer » prenait tant de place qu'il n'en restait plus pour la réflexion, ni même pour la peur. En même temps, c'était en touchant ce ressort que la peur agissait sur tout le monde, du tueur au tué. Les manœuvres que je faisais pour garder Douch de mon côté – et que j'exerçais d'ailleurs sur lui autant que sur les gardiens qui lui rapportaient tout – semblaient s'exécuter d'elles-mêmes, en roue libre, sans dispositif d'entraînement conscient, dans une espèce d'arrière-fond de moi-même où je n'avais pas accès. Ainsi vivions-nous invisiblement lui et moi, au milieu des autres, en une sorte de symbiose qui nous appariait sans nous rapprocher, mais sur laquelle se modelaient plus ou moins tous nos comportements, les miens dépendant de ce que je percevais des siens, et réciproquement. Je restais vigilant, impliqué à un degré extrême, entièrement centré sur sa personne, dans un effort constant et authentique d'assimilation.

Du haut de son mirador, je le devinais vaquer à ses deux existences : la première de jour ouverte, la seconde de nuit fermée ; et tandis que ces deux pôles de la vie ordinaire se trament en rêve chez tout le monde, je me demandais ce dont il souffrait le plus, de son activité de survie dans le monde diurne ou du jugement moral qui se formait en lui dans ses moments de solitude nocturne [10]. Quand il se trouvait ainsi, placé à portée de mes yeux, au plus épais de ses noirceurs, je profitais de son épouvantable chandelle pour aller fourrer le nez dans le dédale des miennes. Je trouvais au fond de moi tellement de confusion et de contradictions que je me demandais si j'aurais mieux résisté que lui aux puissances du faux et à leur corruption, si j'aurais été mieux armé pour ne pas enfreindre les lois de la morale à mon tour, dès lors que j'avais déjà tant de peine à m'écarter de mes propres petits choix, une fois ceux-ci reconnus comme authentiques et vrais, dans le seul cercle des gens auquel j'appartenais.

Jamais plus je ne verrais mon semblable comme avant. Douch a fait tourbillonner dans ma tête un orage de questions accablantes, du genre de celles qu'on ne soulève vraiment que dans les contes de fées ou les récits mythologiques, et qu'on ne pose plus ensuite qu'aux enfants. J'aurais aimé pouvoir revenir aux ombres chaudes des nuits de mon enfance, quand j'avais peur du diable et qu'en même temps je vivais rassuré. Mais depuis, j'ai appris qu'il y avait toujours un monstre caché pour de bon dans le placard.

L'horreur m'apparaissait à présent comme n'étant plus l'effet d'une infériorité, d'un défaut de complexion qui gênait le « libre développement de l'âme », celui des natures sombres où pénètrent à peine les rayons de la vie. Je ne savais pas qu'orchestrer le mal pouvait n'exclure ni la sincérité ni la générosité. J'imaginais que la sauvagerie était une chose innée, le tribut payé à la nature par les individus

dangereux, indépendamment de toutes les détermi-
nations. Je croyais que tuer, frapper, dénonçait un
tempérament, provenait d'un besoin dominant, de
dispositions psychophysiologiques déviantes, d'une
nature. J'ignorais que l'humanité qui fait de chacun
de nous le père aimé, le fils aimé, l'être chéri, puisse
ne jamais céder la place un seul instant aux monstres
qu'elle enfante.

Douch m'a dessillé si douloureusement les yeux
qu'il m'était devenu impossible, à mon seul niveau,
de mesurer les conséquences de ce que je venais de
vivre sans immédiatement trembler. Son masque,
qu'il levait par instants devant moi au fur et à mesure
qu'il me connaissait mieux, me fit voir l'invisible :
cette continuité et discontinuité qui me le rendaient
tantôt comme un tueur, tantôt sous l'aspect de son
intériorité humaine, tels ces « masques à transformation » que mettent les animistes, et qui figurent au
Cambodge un animal ou un être humain dont la
bouche ouverte s'ouvre sur un autre visage. Ces
masques exhibent au-dedans un homme, en tant que
paradigme de la subjectivité, et symbolisent aussi le
monde enchevêtré où chacun doit se rendre pour
découvrir les autres. Tous provoquent cette répulsion, qu'amène l'apparition chez l'animal des caractéristiques humaines.

III

1988 – LE BOURREAU

Le pays khmer est devenu une seconde patrie spirituelle pour moi, la figure, toujours plus profonde, où se résume ce que j'ai appris, et plus encore désappris, ainsi que tout ce qui me reste de l'ancienne culture.

À l'évocation de ce temps passé et qui m'enveloppe encore, quelles images se lèvent dans ma mémoire ? D'abord le paysage parcellaire de la campagne cambodgienne, semé de palmiers uniformes, avec leurs boules aériennes qui se détachent en ombres chinoises. (Cette vision recèle à l'évidence un aperçu de la structure du monde.) Puis la fuite de Sihanouk, l'invasion nord-vietnamienne, le petit royaume chargé de chaînes, la déroute de Lon Nol, la déconfiture des États-Unis, la poussée khmère rouge. Ces événements me rendirent infiniment tragiques l'horreur traversée par les paysans et l'héroïsme inouï de leurs fils, dans un conflit imbécile où les Khmers sont devenus, de part et d'autre, les victimes de l'ineptie et de l'indifférence d'un commandement aux ordres des puissances étrangères. On ne se remet pas d'une telle défaite. Après, c'est la chute silencieuse de la capitale, le début de la terreur, la morgue des vainqueurs pour imposer leurs vues en agissant sur l'imagination des masses, sans que plus personne n'ose s'exprimer publiquement : le *finale* d'une population. Une sauvagerie archaïque s'est de nouveau déchaînée à l'abri des frontières de ce pauvre pays, et la nouvelle idéologie n'a fait qu'aggraver son écrasement moral. Les Khmers rouges firent du peuple cambodgien un corps mort, vidé de sa substance. Leur triomphe manifeste un tournant dans la vie de cette nation, et ce ne sont pas seulement d'innombrables existences humaines, mais aussi bien des ressorts, parmi les plus intimes de chacun, qui se sont trouvés anéantis dans ce passage. Des générations durant, ce sont là des choses qui vont fournir matière à d'épouvantables récits, pour leurs enfants exsangues et leurs petits-enfants.

Aujourd'hui, je n'arrive plus à me faire à ce pays. Trop de lieux sont devenus tabous ; c'est un peu comme si je devais retourner aux abattoirs de Nancy, c'est-à-dire circuler dans un monde contre lequel je n'ai aucune cuirasse. Dans le nombre de ces lieux, ceux où l'homme peut agir sans égards, s'attaquer mécaniquement au troupeau des êtres désarmés, conformément à des mesures collectives, comme l'ont fait tous les bouchers dans cet infâme chantier d'assommeurs que fut le XXe siècle. Au Cambodge, désabusé d'un espoir de changement, chacun s'y met encore avec avidité pour frapper sur les mêmes et profiter du chaos.

Douch, c'était donc oublié.

*

Le 6 mai 1975, je me suis sauvé en Thaïlande, dans un village du Nord-Est (Ta Tiyou), non loin des zones arides où s'étaient retranchés les premiers camps de réfugiés. De nombreux fugitifs accouraient s'y cacher. Ils rapportaient ce qu'ils avaient vu en descendant dans le détail, avec des précisions atroces que personne n'osait croire.

Au cœur de ces installations creusées à même la terre et devenues fétides dominait, sous des bâches emplies de poux et de crasse, une promiscuité alarmante, exploitée par des bandes, sous le contrôle des militaires thaïs. Le vol, le viol, le meurtre y étaient monnaie courante. Je revois les personnes de l'ambassade de France, quelques journalistes et des humanitaires, tous écœurés par la situation, qui m'avaient demandé de les accompagner dans un camp peu fréquenté plus au sud. Il s'agissait d'une misérable population de déplacés, non loin de Trat, en plein territoire thaïlandais, dont cependant les Khmers rouges avaient officiellement reçu la charge ! Dès l'entrée, la différence était impressionnante : propreté, silence, discipline ; c'était flagrant. À la moitié de l'immense terre-plein qu'il fallait franchir, nous passâmes devant un jeune garçon mi-dévêtu, ligoté à un poteau, évanoui sous le soleil intense. Depuis combien de jours ? Notre groupe, révolté, prêt à en découdre, me chargea de savoir de quoi il retournait. Un surveillant venu à notre rencontre répondit aimablement qu'une certaine discipline ne pouvait être évitée, malheureusement ; c'était le sort réservé aux voleurs. Le gamin avait été pris la main dans les sacs de riz alloués à la collectivité. Empêtrées de l'explication qui avait immédiatement reflué sur leur sensibilité, les personnes que j'accompagnais, très embarrassées, n'avaient pas été en mesure de formuler une réponse, tant l'ordre qui régnait dans le camp des Khmers rouges contrastait favorablement avec l'abjection dans laquelle croupissaient les autres colonies et qu'ils condamnaient férocement. Ils félicitèrent à demi-mot les responsables du lieu, sans rien approuver, n'ajoutant rien par scrupule d'acquiescer, puis nous repartîmes sans nous étendre sur le sort du gamin. J'avais déjà entendu ce silence.

Des années plus tard, en 1988, je retournai à Angkor tout seul, pour y installer une nouvelle antenne de l'EFEO, première tête de pont française avant la reprise des relations diplomatiques. Je n'avais nul besoin d'être informé sur ce qui s'était passé au Cambodge après 1975. Entre-temps, j'avais retrouvé Neang Chhoeung, la mère de ma fille. Elle m'avait longuement rapporté ce qu'elle avait vu et vécu de son côté. Aussi étais-je retourné à Srah Srang sans autre attente que celle d'aller à nouveau respirer l'odeur du grand samrong à l'entrée de Ta Prohm et de réentendre tomber, sèches comme des coquilles, les feuilles des fromagers à même les dalles de pierre. Seuls certains traits de la nature pouvaient encore montrer que tout n'avait pas changé entièrement.

Dans mon ancien village, la désolation, le ravage physique, la détresse humaine, le dénuement moral, la stagnation de ceux qui avaient survécu et que j'avais connus jeunes, du temps de leur splendeur, m'étaient apparus sans remède. J'étais revenu les bras chargés de présents de la part de la mère d'Hélène installée en France. J'avais une montre pour l'un des petits cousins qui vivait avec nous avant guerre, maintenant marié à une fille d'un village d'à côté, qui lui avait donné des enfants. Fou de joie, il était reparti en courant pour faire voir son cadeau. Et voilà que son corps fut retrouvé le soir même au milieu de la rizière : un voisin, qui venait de s'enfuir, avait brigué la montre que je lui avais offerte.

Sur ce sol d'abandon où sévissaient maintenant les lois d'une liberté sauvage, on avait l'impression que la nouvelle misère l'emportait déjà sur le souvenir des privations passées, des corvées sans fin, du nombre démesuré des morts. Pas un homme, pas une femme dont le destin n'ait eu à passer par un étranglement atroce et que la liberté désormais retrouvée n'étouffât pas davantage. La compassion avait disparu avec l'éclatement de tous les liens. Corruption, incompétences, jalousie entre les orphelins, entre les éclopés... Tout était le produit insensé d'un monde de vivants dont les réflexes demeuraient ceux qui permettent de survivre. Dans les hameaux peu repeuplés, les victimes vivaient ensemble avec leurs assassins, comme si de rien n'était, comme il en avait été ainsi depuis toujours sur cette terre, où les premiers n'existent pas sans les seconds ; on se côtoie, on baisse les yeux, sans savoir qui décide du rôle de chacun. Et ce cimetière de vivants préfigurait pour moi le jour du jugement dernier, à la fin du monde, quand le sort de tous les bourreaux finirait par rejoindre celui de leurs victimes, dans l'amoncellement des ressuscités.

Aux frontières avec la Thaïlande, se trouvaient enracinés un ensemble de sanctuaires imprenables, encore défendus par plus de vingt mille robots armés, invincibles, les meilleurs guerriers du monde depuis les Japonais et les Coréens. Nés dans la guerre, les plus jeunes étaient doués d'une expérience qui fait du geste, de la pensée, des fonctions même du corps, des réflexes de combats. Les plus vieux étaient parvenus au sommet de leur art. Siégeant à l'ONU, les dirigeants khmers rouges n'avaient rien perdu de cette détermination qui leur avait fait « écraser » pendant quatre années toute personne soupçonnée de détenir des informations ou simplement hostiles aux massacres. Le « Kampuchea démocratique » aurait été mis au banc des nations si ses chefs avaient fait subir ce traitement à un peuple étranger, au lieu de le perpétrer contre leurs frères de sang. Triste chance, qui fut aussi le grand malheur des Khmers, car l'argument de cette lutte fratricide a légitimé la non-ingérence de tout l'Occident. La « révolution paysanne » fut une supercherie monumentale orchestrée sur l'avis de conseillers étrangers (Chinois, Nord-Vietnamiens) qui surent utiliser toutes les ressources locales pour exploiter les vieilles divisions idéologiques du pays, entre ville et campagne, et tirer parti de la couche la plus récente des culpabilités de l'Occident. Dans cet aveuglement, on aurait dit qu'être les « descendants des bâtisseurs d'Angkor » plaidait toujours en faveur des dirigeants de ce peuple ancien, quels que soient la bassesse et les calculs instillés dans leurs menées occultes. Les Khmers rouges avaient réussi ce tour de force : offrir pieds et poings liés le « peuple glorieux » à l'ennemi vietnamien et faire de ce dernier un sauveur en gagnant la guerre. Pour comble, alors qu'ils avaient éradiqué le bouddhisme en tuant et en défroquant les moines, dans l'intention d'interrompre, une bonne fois pour toutes, les ordinations, ce furent les nouveaux maîtres de Hanoï, en 1979, qui prirent l'initiative de procéder à leur renaissance dans le pays.

En l'absence de tout clergé, le gouvernement provietnamien de Phnom-Penh, seulement composé d'anciens résistants coupés de tout, se trouva dans l'incapacité d'approuver ou de rejeter pareille volonté politique, qui bousculait la doxa communiste, et encore moins de réaliser que ce ne serait pas l'ancien rite cambodgien qu'on allait restaurer, mais une tradition mixte récente, par le ministère d'un ordinateur vietnamien expressément venu d'Hô Chi Minh-Ville. Un groupe de sept moines cambodgiens fut ordonné au Vat Unalom, et, sans désemparer, ces premiers ordinants furent dépêchés dans le reste du pays pour propager la nouvelle ordination, sans posséder l'ancienneté de dix ans requise... Le rite issu de ce type d'acte dérogatoire n'est pas conforme aux règles du Vinaya [1] et, en tout état de cause, demeure invalide. On était là en présence d'une situation singulière dans l'histoire du bouddhisme et, pour beaucoup, il s'est agi d'un signe où se décelait la triste détermination d'un nouvel âge qui avait commencé dans ce pays... Pauvre Cambodge, stérilisé à tous les niveaux par sa « révolution glorieuse pour des milliers d'années ». Les derniers moines que les Khmers rouges avaient jadis obligés à abandonner la robe et qui avaient survécu, ont refusé le nouveau rite et se sont laissés mourir.

Une profonde nécessité semblait se mettre à l'œuvre. Mais que pouvaient d'autre les fils d'un peuple disséminé, désorganisé, sans conscience politique ni religieuse, dont les adultes aussi rares que précieux préféraient s'acharner à replanter, à reconstruire, à retrouver leur culture, à revivre ? C'était le moment où ce peuple de miraculés désirait le plus ardemment lutter, à différents échelons, pour relever le pays de ses cendres, et où les habitants n'attendaient que de se prendre en main pour renaître. Tout du moins avant l'arrivée des quelque vingt mille policiers, militaires, fonctionnaires, experts internationaux des Nations unies, qui prirent soudain tout en charge, avec sérieux et application, mais sans souci des mentalités ni des situations, tuant instantanément dans l'œuf les initiatives locales, projetant à pleine main les effets de la civilisation dans un pays démuni de tout, n'hésitant pas à détourner les plus avides par l'appât du gain. Pour ne donner qu'un exemple, la perspective du rachat des centaines de véhicules de l'ONU, voués à être abandonnés en fin de mission sur place, est à peu près demeurée l'unique projet dont la négociation a mobilisé vraiment l'ensemble des recrutés locaux. Après les Khmers rouges du Kampuchea démocratique, l'Autorité provisoire des Nations unies au Cambodge (APRONUC) dont, pendant deux ans, le représentant spécial a officiellement tenu les rênes de l'ancien royaume en lieu et place de l'administration préexistante, a provoqué un accès de découragement presque immédiat et anéanti pour longtemps la capacité des Khmers à retrouver leur âme. Aucune restauration ne rétablira ce qui s'est alors perdu.

Peut-être, après de tels signes, dans le sillage des flétrissures qui touchaient aux forces vives de la société comme une marque des temps, en fut-il de beaucoup comme de moi : une attitude de fuite vis-à-vis de toute participation à la vie collective, dont il devenait prévisible que les cercles dirigeants de l'avenir se recruteraient désormais dans le même genre d'humanité corrompue.

Pour ce pays désespéré, aujourd'hui, quels mots ? Tout le monde utilise encore ceux d'hier, bien qu'on ne vive plus du tout de façon identique au Cambodge ; les habitants continuent d'habiter la même maison délabrée pour ne pas devoir la reconstruire, même quand ils s'aperçoivent que tout a changé en dessous.

*

Je ne suis plus possessif. Avant le Cambodge je n'avais rien, après je n'avais plus rien. Je me suis dégagé des liens que m'avaient imposés les choses longtemps aimées, pour leur beauté, leur passé et les souvenirs que j'y attachais. Par contre, je ne me suis jamais débarrassé de la présence des lieux. De l'idée qu'au fil des ans, les lieux emmagasinaient les larmes accumulées, la mémoire des instants, des événements qui s'y étaient déroulés, comme celle des milliers d'êtres, avant de mourir, qui avaient foulé de leurs pieds ces espaces.

C'est peut-être pour cette raison que je n'aime plus Phnom-Penh. Mais ceci confirme l'expérience : les lieux dans lesquels nous avons longuement fusionné continuent toujours de nous attirer, et je ne peux pas plus m'échapper de cette ville que de moi-même. En 1988, on retrouvait les traces de son architecture devant la poste, autour du Phnom, à l'hôtel Royal à peine reconstruit, dans les grandes bâtisses coloniales aux persiennes ruinées, sans toit, mais toujours belles sous leur ciel habillé de nacre, aux mêmes nuages irisés d'averses. L'ancienne métropole apparaissait comme un jardin familier de longue date, désormais à l'abandon, mais où l'on reconnaît feuillages et bordures. Le 17 avril 1975, avant l'entrée des premiers Khmers rouges par le nord, tels autant d'enfants lâchés sans surveillance, je revoyais l'avenue totalement déserte ; pour mes yeux, fatigués par la veille, elle semblait plus dépouillée encore, vide d'air, dans la lumière matinale. L'Ambassade de France demeurait en l'état où l'avaient laissée les Khmers rouges dans leur fuite, et l'on apercevait l'ancienne disposition de ses bâtiments modestes, au milieu du parc, entourés d'un simple muret. Les vantaux du vieux portail d'origine étaient encore debout à côté de la guérite. En face, le banian de l'ancienne ambassade de Corée se momifiait et les *koki* n'avaient pas reformé l'écorce arrachée par les habitants de leur tronc noueux pour faire cuire le riz. Le monument aux morts avait disparu et de l'autre côté on avait rasé le cimetière. Au bout de l'avenue, le chantier d'un malheureux édifice d'État qui envahissait le terrain libéré par la démolition de la cathédrale était là pour rappeler que, de la gare jusqu'au fleuve, partait de cet endroit une vaste allée fleurie bordée de gros arbres d'espèce inconnue sous lesquels, le dimanche, le petit nombre des catholiques cambodgiens allaient pour se rendre à la messe et faire l'aumône aux lépreux. Je me rappelle cela et le son des cloches. Quant aux pagodes de la ville envahies par les réfugiés en 1975, toutes étaient encore vides. Sur les trottoirs, que les Khmers rouges avaient plantés de cocotiers, et le long des chaussées contrefaites, circulaient des êtres insexués aux yeux grands ouverts, dont je me mettais à détailler la triste assemblée : y avait-il entre eux des différences d'âge ? Tous se ressemblaient ; ils avaient l'aspect et l'anatomie qu'on prête aux individus élevés sans amour. Toute beauté, tout éclat avaient disparu de cette population que j'avais connue si gaie, et en qui la passion et le désir désormais semblaient morts.

À travers mon ancien quartier, au large de l'hôpital Calmette, chaque promenade devenait une surprise, parfois heureuse, tel cet instant où mes yeux tombèrent sur la plaque de fonte qui résonnait encore des pas de danse d'Hélène, près de la maison, depuis tout ce temps ; et je fus épouvanté de voir que le métal en avait entretenu le souvenir pour me le rendre, comme reviennent aux vieillards leurs souvenirs d'enfance. D'autres détails revivaient devant mes yeux, de ces menus détails qu'on remarque à peine, qui demeurent pourtant cachés dans on ne sait quel arrière-fond de la mémoire. Je ne pouvais oublier cela non plus, tout ce temps passé qui reprenait vie, ni tous ces fantômes qu'il était facile de croiser de jour, lorsque je décidais de me rendre dans les rues squattées, mal refaites, bordées de compartiments à moitié reconstruits, d'agglomérations de briques et de gravats de toutes formes, parmi les ordures dispersées par les rats, et des miséreux qui gardaient l'échine basse. Je passais à travers le labyrinthe des chemins étroits, le long de vieilles maisons, sans m'arrêter pour voir les occupants, mais je sentais leur présence silencieuse au fond des pièces.

Comme il faisait très chaud, je me réfugiais parfois l'après-midi dans ma chambre, puis à l'heure où la nuit envahit brusquement la ville sous ces climats, quand le jour tombe d'un coup, j'allais ausculter mes souvenirs au bord du Mékong, en compagnie d'un petit nombre de chiens qui suivaient mon exemple. Il me semblait que d'importantes décisions survenaient alors que je laissais seulement filer mes pensées. Éloigné de toute activité, on perçoit peut-être plus nettement les mesures de la vie, parce que c'est dans les silences que surgit la mélodie des choses.

L'ancien pont japonais et son reflet ne formaient plus qu'une seule masse trouée par les arches, tandis que l'eau des Quatre-Bras se déplaçait avec la même certitude égale et puissante que jadis. Si je voyais mal l'autre rive, l'espace laissé vide par l'éradication du grand séminaire sautait aux yeux sur la saillie de Chrouy Changvar ; et malgré le couvre-feu, je pouvais marcher longtemps, sans m'éloigner du secteur des trois hôtels alloués pour les étrangers, parfois jusqu'à l'apparition diffuse de cet avertissement qui reverdit le ciel avant les premiers signes du jour.

Il sévissait dans les rues une ou deux bandes de gamins échappés des « orphelinats », parmi lesquels pas mal d'estropiés, qui ne dormaient jamais et qui se disputaient entre eux à la manière des corbeaux dont tous avaient emprunté la couleur. Chacun d'eux avait su conserver en naissant cet accès aux ressources de l'instinct et aux forces primitives de la vie. L'enjeu était l'espace devant les trois hôtels ainsi que le partage des petites coupures d'un dollar que cette manne providentielle générait. Les plus jeunes d'entre eux savaient galoper en tendant la main, les plus grands mendier en prenant des voix de voyous, tandis que sur ces derniers semblait régner un cul-de-jatte. Son visage à lui était pâle et flétri, et sa bouche de dix ans plus vieille ; seuls les yeux, glissés vers les côtés, qui découvraient une sclérotique jaune, avaient un air fragile. Son regard dénotait une telle capacité d'attention, un tel sens de la nature des autres, qu'on devinait que son enfance s'était passée à tordre le cou au destin. Je ne m'aperçus que plus tard de sa jeunesse. Il était jeune, jeune comme le Cambodge nouveau, où l'existence de chacun débute sur-le-champ et connaît son déclin aussitôt. À le regarder, c'était comme si mon cœur s'écrasait brusquement. Il se déplaçait d'un bout à l'autre de son territoire en marchant à bout de bras, comme sur des béquilles, les mains dans de vieilles sandales, à une vitesse surprenante, et pour se battre il projetait avec force son bassin en avant.

J'étais curieux de le voir de plus près, de parler avec lui pour évoquer le passé, et j'avais calculé, les yeux mouillés de larmes, qu'il avait peut-être quatorze ans : sa mère était morte en couches dans l'exode, et l'éclatement d'une mine l'avait par la suite écharpé. La sauvagerie dont il avait dû s'armer pour survivre m'emplissait de tendresse.

Je l'avais plusieurs fois laissé manger quelque chose avec moi à la terrasse du Sokhalay qui venait de rouvrir. «À quel âge as-tu perdu les jambes ?» Il n'entendait pas mes questions, mais je lisais à sa mine qu'il les comprenait. Il paraissait si jeune physiquement que j'échafaudais plusieurs scénarios, lorsque l'un des serveurs qui nous avait à l'œil, n'y tenant plus, me livra le subterfuge dont il usait avec les passants pour provoquer davantage de pitié : en fait, il était né comme ça. Son bluff dévoilé, le gosse sut immédiatement à quoi s'en tenir. Il descendit de son siège et s'en alla sans finir l'assiette indûment perçue, honteux de ne pas avoir sauté sur une mine comme tant d'autres.

Le serveur tourna consciencieusement les talons, et il ne m'en fallut pas davantage pour comprendre : sur le coup, en effet, j'admets avoir ressenti de la déloyauté de la part du gamin, comme si l'on s'était joué de ma crédulité. (Alors que j'avais tout reconstruit moi-même.) Le petit charlatan avait, depuis longtemps, appris que l'homme ne prisait la réalité que très faiblement, en comparaison de ce qu'il lui était donné de ressentir au moyen de ses rêveries.

Dès lors que j'acceptais de jongler avec la chronologie, dès lors que j'étais prêt à marcher dans les pas du présent d'où s'échappait mon passé, il m'était loisible d'être dans une autre histoire, dans un autre temps, sans quitter Phnom-Penh.

C'est dans cette troublante négociation avec ma propre temporalité, attentif au parcours familier sous ce que le paysage arborait encore d'inconnu, que je me suis donc rendu, un beau matin, jusqu'au « Musée génocidaire ». Passé l'encadrement des barbelés, à l'intérieur des étages, dans les salles de classe de l'ancien lycée, le cri joyeux des enfants qui avaient joué dans la cour se trouvait à jamais recouvert par celui des malheureux qu'on y avait battus ; l'air vibrait dans les différents registres qui s'y superposaient encore.

À l'époque, la visite était obligatoire et organisée par l'administration qui vous fournissait un guide. Y serais-je allé autrement ? Le mot « génocide » appliqué aux massacres tous azimuts du Kampuchea démocratique me semblait impropre dans la seule acception que je lui connaissais ; et celui, sidérant, de « musée » faisait craindre l'un de ces lieux de propagande politique dont le nouveau régime paraissait avide.

Comme tout le monde, j'ignorais que les Khmers rouges avaient désigné sous le nom de « S.21 » l'ancienne école de Tuol Sleng transformée en prison. Les réfugiés ne parlaient pas des prisons. Il y avait tellement de disparus dans les pensées de chacun que la question du fonctionnement de la mort, les camps, les centres, les blocs, les chambres, les fosses, les charniers, arrivaient au second plan, quand bien même cela les avait touchés tous. Autant qu'il m'en souvienne, la primauté donnée à Tuol Sleng passait pour orchestrée aussi par le régime pro-vietnamien.

Dès l'accueil cependant, à l'entrée, on se retrouvait jugulé. Ici, dans un semblable foyer de corruption, il était sûr que des meurtres s'étaient commis sur une grande échelle ; et le seul fait d'en soupçonner le nombre, infiniment élevé, ou d'avoir connu des cas individuels, dégageait du lieu une telle débauche de souffrance que le visiteur s'effondrait dans une crise de découragement. L'endroit vous remplissait d'un effroi tel que, pour la première fois, ailleurs que dans un camp nazi, je ressentais cette peur ontologique qui glace le sang. En avançant, on se retire du monde, puis en moins de temps que ne dure la visite, on fait l'expérience de la torture, on apprend à quel point elle fait mal et que la douleur ne connaît aucun seuil. Pour autant, les atroces discordances qui déferlaient sur nous s'entremêlaient en d'indissociables mélanges, et dans un tel chaos, nul ne distinguait si les hurlements amplifiés par l'écho provenaient des hommes qu'on avait fait souffrir, ou de ceux qui infligeaient les souffrances...

Les pièces du rez-de-chaussée, où prenaient place les interrogatoires à même le carrelage jaune et blanc, étaient meublées d'un bidon (pour l'urine), d'une boîte à munitions (pour le jet fécal au choc du premier coup), d'une chaise destinée à l'interrogateur et d'un lit de fer sur lequel on couchait la victime. Des corps vivants s'y étaient ouverts en deux... Tout cela était vétuste, immobile, inutilisé depuis longtemps, mais toujours vibrant de la cacophonie des râles, des souffles fétides, des aveux retenus et soudain libérés, du sourd gémissement des plus endurcis, des réponses étouffées. Dans les grandes salles du premier, des fantômes s'échappaient des figures trouées dont les photos se trouvaient en grand nombre sur les murs ; et le scénario des supplices surgissait si précis, insoutenable, que je ne savais où détourner la tête. Pour soutenir une telle vision, il m'avait fallu retenir mon souffle si longtemps que les larmes m'étaient montées irrésistiblement aux yeux. L'éraillement des murs à hauteur d'appui et la pauvre usure des box, quand par ailleurs tout s'est effacé, témoignaient de la présence de ceux qui avaient là tâtonné, palpé, pétri leur misère en se mordant les lèvres pour sangloter moins fort. J'ai lu dans chaque recoin de ces salles où la poussière et le sang s'étaient accumulés en formant des escarres, tel un entomologiste dans les restes d'insectes mis en miettes par le temps, le triste hiéroglyphe de l'existence des êtres venus s'échouer ici : « À quoi bon s'activer et vivre dans ce monde ? »

C'est à ce moment précis que j'ai été amené à identifier Douch, avec une certitude irraisonnée et absolue, dans la photo du directeur des lieux glissée à même la vitre d'une armoire du hall d'accueil. Regard vif, dents déchaussées qui jaillissaient de la bouche avec l'arcade des gencives, lèvre inférieure pendante, tout était fidèle, jusqu'aux grandes oreilles que j'avais oubliées et, surtout, cette subtile amertume qui ne le quittait pas. En même temps que l'horreur, je découvrais l'atroce étendue de l'action qui avait été la sienne de 1975 à 1979, ainsi que son effarante responsabilité dans l'organisation de la torture et des exécutions.

Les archives abandonnées en ces lieux montraient que la grande prison dont il avait reçu le commandement était conçue pour occuper une place spéciale dans le dispositif du parti. Les informations qui s'y trouvaient rassemblées chaque jour sous sa vigilance permettaient à ses chefs d'orienter leurs soupçons et de lutter contre l'« ennemi intérieur ». Comme déjà dans les Cardamomes, son travail consistait à percer le dessein des traîtres qu'on lui envoyait ; et tous ces gens avaient attaché leurs regards sur la figure de l'être qui les martyrisait, espérant vainement y trouver, pour mettre fin à leurs cris, la réponse qu'ils ne connaissaient pas. Il s'agissait à nouveau d'assurer sans faillir les énergies destructrices qui d'abord irradiaient en droite ligne sur lui, avant de les diffracter au travers de la population carcérale. Tel devait être le sens de son engagement à Tuol Sleng, et désormais le sens général de sa vie.

Pour cela, il avait eu à cœur d'élaborer les règles d'une prison modèle. Les aides qui exécutaient ses ordres, et dont j'avais connu les plus jeunes – je me rappelais leur visage et ce zèle qu'adolescents ils mettaient à accomplir des riens –, devaient apprendre à se comporter comme des professionnels de la sécurité. Dans ce scénario sans merci, il enseignait à utiliser la torture avec impassibilité et sang-froid, sans accès de cruauté, toujours en fonction de règles précises, dans le seul but d'amener les victimes à passer aux aveux. Les recommandations qu'il leur faisait visaient à les débarrasser de l'idée que battre les prisonniers était cruel. La pitié non plus n'était pas de mise. Les détenus devaient être frappés pour des raisons qui étaient nationales et qui ne dépendaient pas d'eux.

Quant aux victimes convoyées à la mort, dans un premier temps sous mes yeux (je les voyais quitter le camp) et plus tard à Phnom-Penh, elles n'évoquaient plus rien pour Douch, qui est vite resté ce professionnel, cette âme damnée des dignitaires du parti, pour qui le prisonnier ne devait représenter rien d'autre qu'un champ opératoire… Mais alors, dans un tel scénario, comment comprendre l'« exception » dont j'avais été l'objet ? Comment accepter ce « don » sans me sentir coupable, sans être une insulte à l'exécution des autres ?… Dans l'atmosphère de gaz suffocant qui s'exhalait des chambres de l'ancien lycée, la question de ma grâce s'est posée jusqu'au vertige. Je sais maintenant, de fait, que Douch s'est trouvé affaibli par ma libération. Peu de temps après, l'arrestation d'un autre Français, tout aussi innocent, Jacques Loiseleur [2], fut pour l'apprenti bourreau l'occasion de se racheter, en retrouvant l'estime de ses chefs et en légitimant ainsi sa conduite aux yeux de l'Angkar. Les conditions de son rétablissement se trouvaient inscrites en lui, en son for intérieur, dans cet endroit de nous-mêmes où nous pénétrons si mal, où les invariants de notre vraie nature poussent leurs racines dès aussitôt l'enfance.

Et les murs trempés et visqueux de Tuol Sleng ont exhibé pour moi l'abomination, la dévoration, les supplices dont le « camarade Douch » avait dû se gaver pour continuer à œuvrer ici. Je me suis senti grelotter en songeant au brillant révolutionnaire que j'avais connu, comparé à ce possédé, qui demeurait mon semblable.

Je redécouvrais mes spectres lancés dans les couloirs de la mort, noué par la crainte de m'en évader derechef comme Monsieur Tout-le-monde, ni vu ni connu, secrètement rassuré par la foi qu'une ère nouvelle ne saurait tarder, confiant en la primauté de l'esprit, en la dignité de la personne humaine, en la victoire des valeurs morales. Avec pour seul viatique un cœur empli de tout ce que chacun souhaite dans le fond : vivre dans un monde peuplé de gens purs et bons, qui rejettent la guerre par amour de la paix, la mort par amour de la vie ; voir les horreurs de l'existence s'aplanir comme se déplacent et dérivent les difficultés dans nos rêves…

Dès lors, sur quel registre hurler le nom du monstre de Tuol Sleng sans craindre de faire entendre l'inaudible ? Comment « tuer le mensonge sans blesser les hommes » ?[3]

IV
1999 – Le détenu

Après les années de tourmente qui avaient suivi ma libération, puis l'épouvante de la guérilla parvenue au pouvoir, je m'étais persuadé que celui dont le nom resterait à jamais associé au « bourreau de Tuol Sleng », avait disparu lui aussi, pris à son tour au gluau inéluctable de la révolution.

J'ai dû me réfugier en Thaïlande, et j'y ai trouvé dans le nord, à Vieng Papao, un texte en écriture *yuan* de la même tradition que celle dont j'avais commencé l'étude au Cambodge. C'est à la suite de cette découverte, qui me fit un temps oublier les Khmers rouges, sans atténuer pour autant une souffrance inscrite désormais en moi, inguérissable, que j'ai décidé de m'installer à Chiang Mai, pour y construire le premier centre de l'EFEO, devenue mon *alma mater*, sur un beau terrain que j'ai planté, au bord de la rivière Ping. De là, j'ai emporté mes pénates dans toute l'Asie du Sud-Est dont les traditions relevaient du même fond bouddhique : la Birmanie, le sud de la Chine et surtout le Laos. Le monde ancien était en train de changer dans cette partie de la terre. Hélène était dans les Ardennes chez ma sœur, et Charles et Laura, les deux enfants dont j'allais bientôt devenir père, ne sauteraient pas comme elle sur le dos des varans... À la fin des années quatre-vingt, on me proposa de transmettre le résultat de mes recherches à l'École pratique des Hautes études, et cette situation m'obligea à rentrer régulièrement en France.

Dix en plus tard, en 1999, j'étais comme chaque année au mois de mai à Paris pour donner mes cours, lorsque je reçus un appel téléphonique venant d'un journaliste de la *Far Eastern Economic Review*, en provenance du Cambodge : « Hello ! J'ai en face de moi quelqu'un qui se dit ton ami et qui voudrait te revoir. Il a des révélations à faire, mais ne veut parler qu'à toi [1]. »

L'« ami » en question était le « camarade Douch », que je tenais pour mort. Après la chute du régime en 1979, il s'était enfui en dissimulant son identité sous différents noms, comme un homme qui doit renier son ombre. De fil en aiguille, il avait trouvé un emploi rémunéré auprès d'une organisation chrétienne américaine. Ses nouveaux patrons l'appréciaient pour les qualités de rigueur et d'efficacité qu'il savait démontrer dans l'organisation des camps de rescapés et d'orphelins, près de la frontière thaïe.

L'ancien tortionnaire surgissait sous le linceul de mes peurs, à découvert, et maintenant publiquement affublé des haillons de la monstruosité. Mais pour moi cette apparition représentait extraordinairement plus : Douch était vivant ; même si l'on pouvait se demander si c'était toujours vivre que de rester en vie de la sorte, caché tout ce temps dans une fosse sans permis d'inhumer, et condamné pour l'éternité à demeurer au bord d'une autre fosse, plus terrible encore : celle creusée pour lui par les suppliciés de Choeug Ek[2]. Cependant, il a suffi que je le sache en vie, pour que tout à coup mes souvenirs se fissent chair.

À peine avais-je raccroché, qu'un pan entier de mon passé revint à la surface dans le prolongement de l'appel, avec la force d'une poussée implacable, dont je sentis l'élan me barder du courage nécessaire pour reprendre les choses où je les avais laissées : telles que je les percevais encore, sinon telles que je les avais vécues. Je me figurais Douch, incognito et déguisé, quelque part là-bas, dans le bocage cambodgien, et je tentais d'imaginer à quoi pouvait ressembler l'existence quotidienne d'un bourreau post-forfait, une fois enfoui dans l'ordinaire, au milieu des autres, quand il parle et vit à nouveau comme tout le monde.

J'avais bien déjà rédigé quelques pages au Laos. Elles débutaient avec la mort de mon père et mes tribulations à l'ambassade de France, et je leur avais déjà donné un titre : *Le portail*. Dans mes évocations, la mort que j'avais failli subir me donnait une sorte d'accès à celle de mon père, en se mêlant avec elle. Sans savoir pourquoi, j'avais besoin de matérialiser cette articulation entre l'avant et l'après, entre l'intérieur et l'extérieur, en repartant de l'image du portail de l'ambassade qui avait permis aux détenteurs d'un passeport étranger d'échapper à l'exode phnompenhois de 1975. Mais le projet avait avorté. Il aurait fallu le creuser davantage, entreprendre de lui donner du pied en l'appuyant sur le récit de mon incarcération, et cela semblait trop loin ; trop profondément enfoui. J'étais si peu resté dans le souvenir de Douch que ma mémoire avait perdu jusqu'aux petits détails qui font revivre les choses. J'avais l'impression de ne plus rien me rappeler, qu'il faudrait tout recréer, sans plus compter sur le stock d'images que j'avais un temps conservé, mais sans prendre le soin d'en fixer aucune. J'étais loin d'imaginer que les impressions fugitives, les sensations, les émotions qui m'avaient si brièvement touché en pleine débâcle morale, avaient en fait laissé des traces qui restaient encore déposées en moi. Ce que j'avais durement éprouvé demeurait disséminé dans mon être, prêt à resurgir de sous les combles, parmi les plus oubliés de mes étages secrets. Et tandis que la disparition de Douch s'était lentement assimilée à sa mort en moi, sa résurrection soudaine, comme une brise porteuse des relents de M.13, vint vivifier le souvenir de cette interaction, issue mystérieusement de ma confrontation avec un homme entre les mains duquel le destin m'avait brutalement sommé de déposer ma vie.

À partir de cet instant, ma conscience n'a plus trouvé de repos que je n'eusse reconnu, confessé, déclaré ma propre vérité, sur ce qui s'était réellement passé et que j'avais vécu.

Écrire sur soi, c'est se lancer dans une composition baroque, faite de tensions, de contrastes et de mouvements violents. Il y a là un mélange d'antithèses, de surcharges, et d'éléments discordants, d'où s'exhument des rapports fondamentaux, originels, de vieux ressentiments, qui ne sont jamais que des petites mises à jour personnelles. Même si nos actions s'évanouissent au fil du temps, elles sont d'une certaine manière enregistrées dans la trame des jours. Il est possible de les revoir, de les objectiver, de les décrire, de les retravailler, de les réécouter comme on le fait des sons dans la musique concrète, en sorte de les rendre plus tangibles, d'en repérer la force expressive, d'en reconstruire le fil et d'en retrouver les résonances naturelles, authentiques. Il me fallait prendre exemple sur ces peintres qui détestent avoir devant eux le modèle ou l'objet, sûrs d'apporter à leurs tableaux une vérité plus profonde en peignant de mémoire. La réalité présente n'est jamais tout à fait réelle tant qu'elle n'est pas consignée dans le souvenir.

Prendre la plume était aussi une audace pour moi, exigeant un examen plus aigu que celui qui permet simplement de raconter une histoire. Plus l'on creuse profond dans son âme, plus l'on ose exprimer une pensée intime, plus on risque de ne pas se retrouver dans les mots. Il fallait que je me résigne d'abord à n'écrire que l'avouable, avant de passer à l'inavouable, si j'en trouvais le courage. Malgré ma volonté d'aller à la recherche des faits, je me trouvais maintenant très éloigné du milieu dans lequel m'avait plongé l'expérience de M.13. Seules quelques-unes de mes pensées y divaguaient encore, tels d'insolites feux follets sur le marais de mes refoulements et de mes fixations. La sinistre interaction qui s'était exercée entre Douch et moi ne réveillait plus que des impressions douloureuses, comme celles d'un écartèlement, dans le sens d'une « réciprocité » devenue difficile à comprendre, où chacun de nous deux avait joué un rôle.

Revenir à ces impressions-là, c'était m'en remettre nécessairement à la ténacité de mes sensations d'antan : les sons, les odeurs, les saveurs passées, celles dont l'homme s'imprègne au fil des heures sans se soucier de les noter, juste en frôlant de loin ce qu'il voit, en ignorant ce qu'il éprouve. Ces phantasmes évanescents, ces méditations amorales ou sublimées, ces sensations qui engendrent des pensées, il n'est plus possible de les oublier dès lors qu'ils ont interagi avec nous : ils constituent le vrai socle de nos façons d'être et de raisonner. Ce sont eux qui m'ont poussé à écrire, leur surgie ouvrant des portes invisibles sur moi-même.

Qui étais-je, trente ans plus tôt, quand je fus libéré et que je quittai M.13 ? J'étais vivant et donc déjà un autre. Très vite, j'avais dû me ressourcer – mais où ?... Surtout pas ailleurs, en cherchant à atteindre de nouveaux horizons, mais en repartant de mes propres vestiges : du jeune homme de Bar-le-Duc, de l'officier allemand, des femmes tondues à la Libération, du moineau que j'avais foudroyé d'un coup de carabine à plomb sur la margelle de ma chambre d'enfant... De tous ces êtres différents qui me constituaient, faits de représentations errantes, suspendus à la file comme des brumes à des mondes déjà effacés par le temps, pas un qui ne se soit acharné à dessiner mon irrévocable parcours. J'étais cet empilement inachevé de parties rendues à la vie, dans quelque monde resté familier et que je redécouvrais, en y revenant, comme une nouvelle terre qui m'était demeurée inconnue.

Écrire dans ces conditions, c'était à la fois suggérer que rien n'avait changé de visible, que j'avais seulement pris de l'épaisseur et peut-être un peu changé de l'intérieur, et assumer que Douch, bien qu'ayant quitté la place depuis fort longtemps, se trouvait encore en moi, à la manière dont certains insectes vont déposer leurs œufs. Le jeune bourreau m'avait fait le détenteur d'un secret terrible, impossible à exhiber au grand jour, comme ces objets anaérobies qu'on laisse dans la tourbe plutôt que de les mettre à l'air libre, d'autant qu'ils ne serviront plus dans leur nouveau milieu. Prendre le risque d'exhumer l'image honnie qu'il m'avait laissée de lui, et montrer au monde les traits héréditaires d'un archétype humain auquel je ne voulais pas ressembler... Tout cela ne m'enchantait nullement.

Chaque être cependant n'est-il pas né pour témoigner et pour manifester ainsi sa vérité particulière ? Mais pour cela, il me fallait plonger dans les arrière-fonds de mon être et retrouver Douch dans son milieu naturel, comme on reconstruit l'habitat préhistorique d'un saurien seulement d'après la forme des dents et l'usure des griffes imprimées entre les lames du schiste. Je n'avais jamais vu d'aussi près pareille créature. De cette contraction dans le temps, il me fut donné de faire une analyse complète de sa physiologie, désormais déployée sous mes yeux telle une planche d'anatomie, et d'y distinguer jusqu'aux plus fins détails, riches de sens, dont beaucoup remontaient à la Création. Dès le début, j'avais décelé dans son profil perdu l'ombre d'une mâchoire surmontée de dents – le propre des monstres du plus antique au plus moderne –, mais ensuite cette vision s'était vite dérobée à tous les processus de mémorisation.

Sans préjuger du but, je commençai à écrire et à creuser, avec une curiosité mêlée d'inquiétude. Dans les sphères excavées, comme d'anciens ateliers bourrés d'objets empoussiérés, ce que j'avais incorporé jadis avait le pouvoir mystérieux de reparaître, avec des significations demeurées intactes. J'y retrouvais les effets du spectacle des êtres et des choses que mes sens avaient photographiés, provoquant, dans leur déroulement, la multitude des impressions, des énergies plastiques, des images élémentaires, qui correspondaient assez exactement à la chronologie des événements, jusqu'aux circonvolutions les plus improbables de mon ressouvenir. Et tandis que je griffonnais des phrases, je pouvais voir, presque instantanément, des photos qui, par un processus étrange, ne se présentaient ainsi développées qu'après des années ou même des décennies de lente élaboration.

Ce travail, étonnamment, me procura du plaisir ; bien que, dans le même temps, je ressentisse de l'effroi en peignant l'expression des yeux de Douch – grave, douloureuse, coléreuse, maîtrisée – lorsqu'il lui arrivait de lever le bras sur l'une des victimes, comme le font les enfants, cependant que personne n'était là pour intervenir et l'empêcher de frapper. Des questions se bousculaient dans mon esprit : comment aurais-je enduré, moi, sur le vif, la blessure des tenailles et des coups de nerf de bœuf ? Que se passe-t-il qui soulève le cœur et emporte le cerveau au passage d'une pleine cuillerée de substances fécales refroidies dans le gosier ? Plus que tout, je cherchais à me figurer son visage s'il avait fallu qu'il me torture lui-même, et inversement le mien si, comme lui, je m'étais trouvé dans l'obligation de frapper ces pauvres malheureux, couchés ou éplorés à mes pieds dans la pénombre du cachot.

En réalité, parce que l'écriture implique une manière d'atteindre les choses plus subtile que celle qui suffit au fonctionnement habituel de l'esprit, il me devenait aisé, au fil des phrases, d'entrer dans la peau de n'importe quel tyran, juste en passant par les voies *ad hoc* : l'exercice n'a pas d'équivalent pour étaler devant soi les vrais secrets de notre intime nature, et la distance entre Douch et moi s'amenuisait encore ; ses malfaisances devenaient moins impressives, sinon plus acceptables, en se faisant miennes. Ainsi, me fut-il loisible de saisir par combien d'imperceptibles liens j'incorporais une proximité qui semblait *a priori* absurde, et combien ces liens semblaient indissolubles des propriétés humaines dont la nature m'avait doué comme lui.

De cela, une pensée précise me traversait la tête : Douch m'avait gardé en vie dans l'intention de me faire son légataire à titre particulier, ayant résolu de révéler une bonne fois pour toutes à quelqu'un comment l'inavouable, l'incompréhensible, parviennent à s'implanter chez l'homme. Je me demandais s'il n'avait pas lui-même, en un moment décisif de sa vie antérieure, la lumière étant alors différente, consenti à son sort, en choisissant parmi la masse des costumes, sans prendre garde, comme pour un bal masqué, aussi hâtivement que tant d'autres jeunes nazis qui s'y étaient prêtés avant lui... L'homme intervenait-il dans la mise en scène de sa propre carrière, comme un acteur dans une pièce dont la signification le dépassait ? En tout cas, j'ai vu le tortionnaire manœuvrer, jusqu'à me laisser plonger des regards de voyeur sur sa morphologie interne, comme on laisse découvrir, à des personnes qui nous observent, des choses intimes ou franchement malsaines, sans qu'on en soit accablé soi-même, à partir du moment où l'on a compris que leur voyeurisme ne vise qu'à percevoir en nous ce qu'il ne leur est pas possible de regarder en elles ; et, de toute façon, que la réalité qui nous habite tous est aussi la leur. Douch avait appris cela ; il en avait payé le prix.

Il l'avait appris par l'expérience des pièges dont lui-même n'avait pas su se détourner à temps : « affirmations », « preuves », « convictions », « vérités »…, toutes ces « évidences » qui attisent et rendent les hommes cruels. Son cas m'offrait l'opportunité d'apprendre plus de choses sur moi-même que je n'aurais jamais dû savoir dans le monde ordinaire. On entrait là dans un domaine peuplé de questions sacrilèges.

Je recevais certaines de ces révélations comme on subit un choc, à la suite d'une expérience spirituelle très forte, telles celles qui avaient notamment ébranlé Siddharta (le futur Bouddha) au sortir du palais de son père. Je me retrouvais soudain dans la situation d'un homme qui saisit l'horreur au cœur de ce qu'il lui est donné de voir tous les jours. En dépit des précautions prises pour lui éviter toute occasion révélatrice du véritable état des choses, le Bodhisattva avait fait trois rencontres : un vieillard, un malade, un mort. Toutes trois avaient été pour lui un motif dramatique de renouveau, une rupture définitive, le moyen de méditer sur l'emprise inexorable de la douleur sise en chacun de nous et de prendre le monde en dégoût. Toutes choses égales, c'était ce qui m'arrivait en considérant le profil de Douch : je reconnaissais en lui ces trois apparitions – ma méditation ayant plus particulièrement pour objet la nature spécifique de l'être humain, mais avec une distinction de taille : dans une quatrième rencontre, avec un religieux cette fois, Siddharta réalise qu'il existe un remède à la douleur. En ce qui me concerne, la souffrance perçue dans les yeux du bourreau me laissa sans espoir.

L'ardent révolutionnaire venait de me dessiller sur ce que j'étais à mille lieues de soupçonner, éradiquant définitivement en moi toute forme d'optimisme. Aujourd'hui, je ne peux m'empêcher de croire qu'en me découvrant les secrets de sa propre nature, qu'en prenant le risque de lever le voile sur la part la plus sombre de son humanité, Douch avait voulu m'exhiber les contours de la mienne, en toute connaissance de cause, comme on lance un avertissement au voyageur en péril, afin de lui indiquer de loin où se situent les écueils ; en me révélant de la sorte sa détresse, il m'envoyait un signal d'alarme dont la signification et toute la portée constituaient justement le viatique qui lui avait fait défaut sur la route, mais dont il ne doutait pas que j'eusse besoin à mon tour.

La réalité d'un monde où le bien et le mal étaient indissolublement imbriqués, n'était perceptible que pour lui et ses proches à M.13. Les prisonniers ne s'apercevaient de rien dans les délais qui leur étaient impartis : pour eux, Douch n'était que le bourreau. Quant à moi, au seul jour de ma détention, je n'étais nullement dans l'état de me sentir solidaire d'un partage aussi lourd avec lui. Soumis à l'entraînement général et aux mouvements rapides qui s'exécutaient dans le camp en attendant mon tour, il m'était impossible de prendre le champ nécessaire, de me prêter à entendre sur place ce qui me parlerait ensuite. Douch me dit à sa manière qu'on pouvait voir le nécessaire, le comprendre, l'accepter même, tout en se sentant pénétré d'une douleur infinie. Mais il fallut vingt-huit ans, après que l'écho de son cri sépulcral me fut revenu aux oreilles, pour que je me mette à écouter le message, comme j'aurais découvert une bouteille jetée à la mer. Encore fallut-il qu'il me l'apportât lui-même, d'où il se tenait, et que son spectre sorti de la tombe revînt me hanter.

Dans *Le portail,* je fais remonter à M.13 ma prise de conscience d'une prétendue hérédité commune de nos deux personnes, nées d'un œuf identique, avec le même patrimoine, les mêmes chromosomes. Ce fut là une erreur de parallaxe liée à la réapparition mystérieuse du spectre de Douch. En vérité, ce senti-ment-là fut le fruit dégradé d'un travail souterrain, comme une ombre qui s'étend en s'affaiblissant avant d'aller son cours, et ce travail ne prit forme en moi qu'à la sortie du livre, lorsque, les interviews se succé-dant, les idées se mirent à bouillonner dans ma tête.

Je pense, par exemple, à une question précise de l'aspirant Désert [3], qui me fit soudain venir à l'esprit, sans raisonner plus que cela, que le véritable héros, s'il existe ici-bas, n'est pas celui dont le courage éclate en combattant contre les autres, mais celui qui est capable d'en démontrer en combattant contre lui-même. Avoir du courage en présence de ce double qui vous contrefait, et contre la menace duquel nous disposons de si faibles défenses.

Parfois, je me suis demandé si la confiance que Douch m'avait accordée au point de me révéler ses crimes, n'avait pas été une façon d'ouvrir son cœur à quelqu'un, comme on ouvre sa garde au milieu de la bataille, quand on n'a plus d'ami. Cet homme, que les lois de la guerre avaient placé au-dessus des lois de la conscience, s'était imprudemment découvert devant moi, tant la pente sur laquelle glissait déjà son idéalisme semblait inéluctable.

Je me demande aujourd'hui si la leçon de Sarah et le silence de ma mère ne me sont pas revenus à ce moment précis, quand je me suis retrouvé devant Douch, éberlué, à me taire.

Trente ans après, Douch s'était souvenu de moi, au moment de son arrestation, en m'appelant « mon ami Bizot ». Je ne pense pas qu'il y ait jamais eu de l'« amitié » entre nous. Lui ne pouvait guère se le permettre en ce temps-là ; et moi je dépendais trop de lui. Le bonhomme, ne l'oublions pas, était tout de même chargé de me liquider !… En revanche, si ma libération ne m'avait paru que justice et rien d'autre, obtenue à l'encontre des imprécations de Ta Mok, elle s'était aussi avérée pour lui être une victoire dangereuse. Rien à célébrer, par conséquent, de franchement positif dans tout cela, ni joies, ni espérances, ni quoi que ce fût hors la crainte qui nous avait soudés durant quelques secondes, quand la situation avait basculé dans l'ultime ligne droite. Le risque d'une embûche de dernière minute l'avait décidé à obtenir une voiture pour décourager Ta Mok de me faire disparaître en pleine nuit [4]. C'est dans ces circonstances, rapprochés par un danger

111

commun, que nous nous étions quittés – et je garde très exactement en mémoire la fraternité de son expression, à ce dernier instant. Nos destinées s'ouvraient et nous séparaient, sur le bord d'un chemin faiblement éclairé par la lune, comme deux pièces accessoires d'une monstrueuse machine, dont il ne pouvait prévoir aucune issue pour lui.

Certes, je lui étais reconnaissant, mais pas au point d'en éprouver une si profonde gratitude, pour la raison peut-être que je n'arrivais pas à me figurer l'autre scénario : celui de ma disparition. Braver la mort n'en assure pas la routine, cela nous en éloigne. Sous cet angle, et malgré le prix exorbitant déjà payé par lui pour s'approcher de l'enfer, j'imaginais le misérable bien plus dépourvu que moi. Et pourtant je n'oubliais pas qu'un jour je m'étais moi aussi dominé, je m'étais rendu maître de mes gestes, j'avais reproduit les siens pour sacrifier au même dieu, en accomplissement du même vœu, et succombé à la honte, contre ma conscience. La sauvagerie avec laquelle j'avais frappé Sarah se mêlait dans ma mémoire à son application d'inquisiteur sur ses infortunées victimes. Nous avions eu recours l'un et l'autre à la même férocité primitive, sur le terrain de la raison et de l'ordre des choses, avec à la clef un énorme sentiment de culpabilité, mais emplis de cet esprit de décision implacable qui impose de faire consciencieusement le mal. De façon similaire, nous nous étions cachés, en dehors d'un petit cercle d'initiés – pour moi ma mère et ma sœur, pour lui ses aides et ses chefs. Pour moi, par peur que d'autres apprennent ce dont j'avais été capable, pour lui, par peur que plus personne n'accepte un jour de croire que « lui aussi avait un cœur » [5].

Innombrables, j'en ai l'intuition, sont ceux qui vivent autour de nous dans la crainte qu'un témoin caché vienne leur rappeler ce qu'ils ont fait naguère. C'est cette communauté de peine et de honte qui explique à mes yeux que l'ex-tortionnaire ait pu se prétendre mon ami, quand je dis, moi, seulement mon frère.

Aujourd'hui, le retour à ces années de méditation me semble d'autant plus important que la place libératrice de Douch dans mes pensées a parfois réveillé, chez les plus optimistes, « la grande peur des bien-pensants » [6] face à laquelle chacun se fige : faire fond sur l'homme, mais seulement et uniquement quand il ressemble à ce que nous jurons être, et se protéger des autres.

Lorsque j'habitais Srah Srang, les Khmers, qui savaient mieux que quiconque regarder l'homme en face, m'avaient déjà mis sur la voie du soupçon. Durant le temps de leur apprentissage et avant d'entrer dans l'âge mûr, les garçons formaient la catégorie de « ceux qui n'ont pas encore peur » (*min'ten ches khlac*). Comme tels, ils devaient s'exercer par la méditation à vaincre l'ennemi censé gésir au fond d'eux, sous la forme d'un démon, dans la perspective de leur maturité et d'une sagesse à atteindre. De telles dispositions, destinées à les faire entrer dans le monde désespéré des adultes, m'avaient tout de suite fait présager de sombres perspectives sur le genre humain. À vrai dire, ce n'est qu'après mon passage par les mains du bourreau que s'éclaircit cet usage d'autrefois : il s'agissait d'introduire les jeunes du village à la peur de soi-même.

*

J'ai repris contact avec Douch dès son arrestation. J'envoyais mes questions par l'intermédiaire de son avocat, Me Kar Savouth, et ses réponses me revenaient par retour de courrier, écrites avec soin, au dos de la même feuille.

Dans la cour de l'établissement militaire où on l'avait écroué, il occupait un rez-de-chaussée d'une seule pièce, dont la porte restait close et les volets fermés le soir. Son régime était strict, quoique appliqué avec bonhomie, mais il était contraint de subsister dans un grand dénuement, et ceci à deux pas de son ancien chef, Ta Mok, enfermé dans la même prison après lui, quand celui-ci n'avait pas manqué d'accumuler de l'argent. Le vieillard, déjà malade, bénéficiait d'un certain confort sur place et commandait ses repas dans les restaurants. Compte tenu de la rivalité entre les deux hommes, qui avait failli me coûter la vie, mais dont j'étais tout de même à l'origine, et après avoir tergiversé pendant des semaines en m'encombrant d'impensables syllogismes – l'ancien bourreau m'avait aidé, devais-je aider l'ancien bourreau ? –, je m'étais décidé à lui faire quelquefois parvenir un billet de cent dollars, parce qu'après tout, résoudre de la sorte un problème moralement insoluble sans heurter la conscience publique, ne portait préjudice à personne.

Le 24 janvier 2000, à peine revenu d'une rapide excursion dans les Cardamomes, où j'avais pu retrouver des débris de l'ancien camp à côté du ruisseau, j'étais parti tôt le matin pour me rendre à Tuol Sleng. J'y étais retourné plusieurs fois entre-temps, m'associant en curieux aux chercheurs qui triaient les archives. Au fil des visites, j'avais sympathisé avec le personnel du musée, auquel, certains jours de la semaine, se joignaient l'un ou l'autre des sept rescapés qui avaient réussi, vingt ans plus tôt, à s'enfuir de la terrible geôle. Certains venaient se procurer un peu d'argent en servant de guide. Ils avaient connu Douch de loin, mais ce jour-là tout le monde parlait de l'incident qui s'était produit la veille, comme d'un drame évité de justesse.

« Tu as manqué son fils de peu ! » me dit-on en riant.

Le fils de Douch s'était en effet présenté au guichet, à la recherche de son père.

Au moment de la conquête vietnamienne, le 6 janvier 1979, Douch et sa femme s'étaient enfuis pieds nus, avec leurs deux enfants, le dernier alors à peine âgé de trois semaines. Deux autres garçons étaient nés ensuite, le plus jeune en 1986. Celui-ci avait dix-huit ans aujourd'hui et demeurait dans la maison de ses grands parents à Skuon (Kompong Thom). Ayant appris qu'on avait interné son père, et entendu d'autre part que celui-ci avait dirigé la centrale de Tuol Sleng, le rapprochement des deux informations l'avait conduit à prendre l'autobus pour Phnom-Penh.

Le lycéen était de la campagne et peu assuré, de complexion blanche et délicate comme son père. Un moto-taxi l'avait déposé devant le portail barbelé de l'ancienne prison, tandis que les premières voitures entraient dans la cour au milieu de visiteurs étrangers et de leurs accompagnateurs qui s'interpellaient et se pressaient devant l'accueil. Le jeune homme s'était mêlé au public.

La caissière l'avait fait répéter plusieurs fois avant de réaliser qu'il était le fils du bourreau. Immédiatement, elle lui avait fait signe de se taire et l'avait entraîné après l'arrière-kiosque, où se retrouvaient les fonctionnaires du musée.

« Chut !... » dit-elle, en lui prenant les mains et en le faisant asseoir. « Tu ne dois pas dire qui tu es, ni prononcer le nom de ton père. Ne te rends-tu pas compte ? C'est dangereux... On peut s'en prendre à toi. Beaucoup de personnes sont mortes, tu comprends ? » supplia-t-elle pleine de pitié, entourée d'employés renchérissant sur elle et s'assurant que personne d'autre n'approchait. « Ton père n'est pas là. Il est incarcéré à la prison militaire, à une trentaine de minutes d'ici. »

Le fils cadet de Douch resta un moment, devant un verre de thé, et quelqu'un le raccompagna pour être sûr qu'il n'était pas suivi, jusqu'à faire un bout de chemin avec lui, dans la direction à prendre pour retrouver son père.

Dès la parution de mon livre, j'avais eu le projet de revoir Douch, mais aucune visite ne lui était accordée. Lui-même ne souhaitait d'ailleurs pas en recevoir, en dehors de ses enfants, de son confesseur et, ajoutait-il, de la mienne. C'était une chose curieuse de voir que nos rôles respectifs s'étaient inversés de la sorte, et j'observais que, dans ses pensées, ma place avait peu à peu dépassé celle qu'il avait prise dans les miennes : au tribunal intime de sa propre conscience, n'étais-je pas l'unique alibi moral à pouvoir être invoqué ?

Pour autant, je n'attendais pas grand-chose de ses « révélations », même s'il pouvait être intéressant de connaître l'arrière-plan de la scène où ma vie avait été tirée aux dés, ou d'entendre de sa bouche dans quelles circonstances il avait donné l'ordre d'assassiner Lay et Son. Mon véritable intérêt suivait une tout autre ligne. Il ne m'était pas indifférent qu'il souhaitât me parler, pas comme on veut renouer des liens avec une ancienne connaissance, entre notre passé et notre présent, mais afin de poursuivre avec lui un dialogue intérieur que je n'avais jamais pu interrompre. Comprendre ce qui s'était produit dans sa tête, et au même moment dans son cœur, revenir sur les choses en suivant sa manière : voilà ce que je voulais. Discuter librement avec lui me semblait le seul moyen de m'ouvrir de nouveaux horizons sur moi-même.

J'avais prévu qu'une copie du *Portail* lui soit remise au plus vite, son avocat assurant qu'il s'agissait là d'une chose qu'on ne pouvait pas lui refuser. La curiosité que j'avais de recueillir à chaud ce qu'il penserait en me lisant, d'entendre ses mots à la place des miens, de confronter mon récit à ses propres souvenirs (quitte à faire un ajout dans une autre édition), m'avait même poussé à lui faire assurer ce droit en haut lieu.

Bien entendu, je ne m'attendais pas à ce qu'il revînt aisément dans des faits dont la simple évocation me semblait déjà susciter des interdits d'ordre sacré. Me référant à sa récente conversion religieuse, s'il fallait traduire en termes chrétiens son ahurissante expérience de la mort et de la souffrance des autres, on pouvait facilement mesurer l'immense poids de son désarroi. Non, pour que Douch s'autorise moralement à regarder son passé, il lui faudrait une révélation plus élevée, un traumatisme plus périlleux que l'innocente conversion d'une foi à une autre, et je pensais que la confrontation entre nos deux personnes, nos deux vies, pourrait servir d'événement déclencheur.

De toute façon, je désirais aussi revoir Douch comme cela, sans m'en expliquer la raison. Il n'y avait rien de personnel là-dedans. J'avais peut-être envie de le rencontrer comme Gitta Sereny le commandant de Treblinka, comme Hannah Arendt pendant le procès d'Eichmann. De l'écouter faire le bilan de sa terrible déchéance, dans le genre des confessions d'un Rudolf Hoess dont il me semblait, à certains égards, que les réflexions personnelles, les observations intimes, pouvaient être rapprochées, non sans nuances, avec les notes qu'il me faisait passer.

Inversement, c'est un fait curieux et difficile à dire, mais l'intérêt particulier que j'avais à le rencontrer semblait se désincarner, se détacher de lui ; maintenant que Douch se trouvait là, conscient et vivant, à porter sa croix, j'avais l'impression que son sort m'intéressait en définitive assez peu, ou en tout cas de moins en moins. J'attendais probablement de cet homme autre chose, et à la fin beaucoup plus : une seconde libération. Sans lui trouver d'excuses ni lui en chercher – pour moi la question ne se situait vraiment pas là –, j'avais besoin d'y regarder de tout près. J'étais anxieux de sortir, une bonne fois pour toutes, si c'était possible, de l'état de perplexité, de doute, qui me perturbait depuis sa réapparition. De savoir ce que cela signifiait d'être un « être humain » vivant, dans de telles conditions.

Il me venait des pensées obsédantes, insupportables, comme s'il y avait des choses qu'on ne pouvait penser qu'aux limites, comme si s'était refermé sur Douch un secret philosophique fondamental, qui avait mis du temps à se creuser, à s'approfondir, mais sur lequel il restait silencieux parce que personne ne pouvait plus l'entendre. Mon rôle à ce niveau était de l'approcher, sans aucun déguisement, comme je l'avais déjà fait, mais cette fois pour pousser la confrontation à son terme. Au-delà des mots, jusqu'à percer son mystère, pour atteindre son âme sous l'intelligence. Me tenir avec lui dans une pièce sans parler.

C'est à l'occasion du tournage d'un film documentaire consacré aux événements évoqués dans *Le portail*[7] que, le 21 février 2003, j'obtins de pouvoir m'entretenir un moment avec Douch, sur des points qui devaient « relever des faits ».

Il faut dire que j'étais devenu entre-temps, peut-être avec l'âge, l'un de ces êtres affligés d'une sorte de trouble des sens, dont le cerveau renifle à l'avance ce qu'ils doivent côtoyer ou toucher, comme d'autres peuvent être anormalement atteints d'un odorat très fin. Ces personnes subodorent avec réluctance les miasmes qu'exhale la proximité physique d'autres êtres. Dans ces conditions, toucher la main d'un Douch devenait une chose difficilement supportable. C'était risquer la contamination par sa propre infamie, par les déjections de sang des suppliciés, par cette fine matière qui recouvre encore les murs de

Tuol Sleng et qui colle à jamais sur la peau des bourreaux. Me rendre coupable de recel et participer à
mon tour aux scènes de torture, comme pour l'en
soulager d'autant. Sourire simplement devant lui me
paraissait déjà un signe douteux de connivence. C'est
dire que je comptais beaucoup sur cette étrange
phobie, venue du fond des âges, pour me prémunir
des dangers d'une contagion aussi haïssable.

L'entrevue a eu lieu dans une pièce ensoleillée qui
servait de parloir, en présence d'un greffier et de deux
juges militaires. On m'a fait asseoir en attendant le
détenu. La consigne précise était de n'avoir aucun
contact physique avec lui. Or, lorsque Douch est
entré avec ses deux gardes en me cherchant du
regard, c'est moi qui me suis levé, main tendue, vers
la frêle silhouette, étonnamment vieillie, impres-
sionné par cette curieuse figure surgie du souvenir.
L'ancien Khmer rouge a répondu à mon geste de
façon distraite, mais j'ai lu dans l'expression discipli-
née de ses yeux qu'il s'attendait plutôt à ce que je le
saluasse de loin. Un certain trouble m'a saisi au toucher rugueux de cet homme, qui m'avait sauvé la
vie et que j'avais enfoui de longue date dans mon
subconscient. J'ai longuement scruté sa face
humaine, sans doute avec la même avidité que celle
que j'avais eue jadis en arrivant dans le camp. Mais
cette fois c'était pour débusquer ce qui s'y cachait de
nouveau. Ce fut, en réalité, comme si mon regard se
posait sur la photographie récente d'un être singulier,
que je reconnaissais mais qui n'était pas celui que
je m'étais habitué à voir dans mon ressouvenir. La
transformation de ce visage était de ce fait doublement saisissante ; j'y retrouvais instantanément des

impressions perdues, en même temps que j'étais totalement surpris par ses traits.

Un rayon de lumière aveuglant perçait la poussière impalpable que son entrée avait soulevée dans le local. Je me suis enquis des conditions dans lesquelles il vivait, comme on se parle entre prisonniers : « C'est comment ici, ça va ? » Je ressentis l'incongruité de ma question et dus la répéter pour me faire comprendre.

« Hmm…, a-t-il fait, sans écouter et en hochant la tête. Je ne t'aurais pas reconnu.

— Bizot ! ai-je insisté, le doigt sur la poitrine.

— Je sais. J'ai souvent repensé à toi à l'époque… J'avais vingt-sept ans, je suis de 42.

— Moi trente…

— Je croyais qu'on avait le même âge.

— Non.

— Ta Mok ne voulait pas me faire voir le rapport arrivé d'en haut. On ne disait pas Pol Pot, on disait : « En haut ». En fait, c'était l'ordre de ta libération. Et je me souviens, le soir de Noël, on avait bu du café sans sucre !… Après, sur la route, je ne reconnaissais aucune des quatre personnes montées dans la voiture. Un moment, on a pris une déviation et j'avais eu très peur. » [8]

Douch ne portait plus sur le front la moindre trace, le moindre reflet des pouvoirs que je lui avais connus ; en revanche, les terribles secrets ramenés d'un long séjour dans la maison des morts avaient exercé une pression grossière sur sa physionomie. Vision stupéfiante. À l'amertume qu'exprimait le fin réseau des rides d'un visage qui s'était révélé à moi si jeune, étaient venues se mêler de petites touches brunes, impressionnistes, qui zébraient ses tempes, faisant ressortir l'ombre des lignes de son inexorable destin. Et cette physionomie révélait maintenant des choses que j'ignorais de lui. Il ressemblait à l'une de ces figures frappées sur une médaille dont l'on peut voir le revers. La crainte de se retrouver en ma présence lui donnait une expression doublement démoniaque, et tandis que mes yeux le fouillaient derrière ses taches de rouille, semblables à d'anciennes éclaboussures de sang, ses traits s'apaisèrent lentement et une légère émotion sembla s'y répandre. L'homme possédait-il donc toujours, même après Tuol Sleng, cette intériorité et ce cœur que personne, excepté moi, n'avait envie d'approfondir ? Je pus identifier, à cet instant précis, dans l'insolite de sa composition, le visage de l'être que j'avais connu, et me remémorer que cette figure du mal ne s'était toujours pas exemptée du bien. Et je ne pus assez m'émerveiller ou m'épouvanter à l'idée que, tout au long de ses vingt années de cavale, il ait pu donner le change, la main posée sur son interrupteur – tantôt ombrageux et tantôt docile –, à l'image de ces prédateurs qui élisent leur séjour au milieu de leurs proies.

Nous nous sommes assis en bout de table. Douch répéta, en hochant la tête, qu'il aurait pu me croiser sans me reconnaître dans la rue. Les juges ne l'autorisèrent qu'à s'exprimer sur certains faits précis, comme les circonstances de la mort de Lay et de Son ou celles de ma libération, que je connaissais déjà. Moi j'étais curieux d'apprendre s'il avait bien reçu les treize volumes du *Capital* de Marx et le petit stock de comprimés de quinine que j'avais fait passer, pour Lay et Son aussi, en payant les militaires d'Oudong… En fait, nous nous sommes surtout regardés ; moi en pensant à lui beaucoup plus que je ne l'écoutais, lui en accrochant sa vue à des images qui lui revenaient maintenant sous d'autres apparences.

Au moment de le quitter, je me suis senti envahi par une sorte de désintérêt, d'indifférence, avec l'impression de me trouver tout à coup devant quelqu'un de totalement étranger, dont le sort me laissait insensible et froid. Je ne ressentais plus les effets que le premier moment de nos retrouvailles avait produits sur moi, et je m'apercevais subitement que je venais de le voir « seul » : son être, sa personne, tout en lui était devenu seul, tellement seul qu'il m'avait semblé faire le vide dans la pièce.

Ce n'était jamais cette impression qui émanait de lui à M.13. Douch vivait, subsistait, se tenait toujours sous un contrôle étroit, comme sous perfusion, relié en permanence aux mailles serrées de la grande toile qu'on lui avait tissée et qui l'identifiait, comme pour les araignées ; son entière action participait de la doctrine supérieure et du génie de ses pairs. Or ici, dans sa cellule, l'esprit du prisonnier ne procédait plus de personne. L'homme de M.13 avait quitté le détenu de Phnom-Penh, celui-ci ne pouvant être celui-là que cantonné avec ses congénères d'antan.

Et si tout se tenait là : entre ce *no man's land* et cette promiscuité ? Je veux dire dans cc passage paradoxal qui sépare l'être solitaire et retiré de celui d'une communauté, solidaire d'un ensemble, qui différencie ce qu'on accomplit individuellement de ce à quoi nous tiennent nos comportement collectifs ? Honnêtement, à qui a-t-on affaire une fois le boucher sorti du panier dans lequel s'entre-dévorent les crabes, dès qu'il se trouve libre des ressorts nauséabonds qui l'y avaient plongé ? On s'attend à rencontrer le diable, on trouve un être démuni, sans mémoire, sans papiers, sans bagages, qui ne pense plus qu'à une chose : changer de vie.

S'il est vrai qu'une sensation ne vaut que ce que valent nos inquiétudes et nos mélancolies, il m'est venu à l'esprit que j'avais déjà ressenti dans ma jeunesse ce que j'éprouvais ici. La scène me reportait à mes thèmes d'autrefois, lorsque je pensais que la nature de nos lointains ancêtres était de vivre sans suite, au jour le jour, de mourir le soir et de renaître le lendemain. Quand elle venait, la mort les prenait comme une vague la nuit, sans qu'ils s'en aperçoivent. Exister pleinement se limitait aux actions de la journée, la vie après la mort n'était que celle des rêves. Pas de lendemain, pas de rétribution, pas de culpabilité. Pas de projets non plus, ni aucune de ces entreprises collectives qui réclament du calcul, des promesses, et un grand nombre de morts. L'homme moderne s'est imposé plus tard, en reliant ses frustrations de la veille à des lendemains qui chantent.

Aujourd'hui, à soixante et onze ans, tandis qu'a commencé depuis longtemps l'ère des doutes, j'ai conscience d'avoir constamment oscillé entre deux états insolubles : d'un côté une sensibilité à l'instant, la sensation de la seconde qui vient, cette paillette d'intemporel dont je prise l'artifice qui me détourne des menaces du lendemain ; de l'autre des représentations en perpétuel devenir, l'envahissement systématique d'abstractions qui me coupent d'une gaieté que je ne peux plus saisir. Insouciance du présent, inquiétude de l'avenir ; chacune intervenant comme une drogue pour faire oublier l'autre.

Quand les juges se sont tournés vers les gardes pour qu'on ramène Douch dans sa chambre, il s'est soudain animé tel un potache quand sonne l'heure de la récréation. Il m'a demandé brusquement, comme on s'y prend pour obtenir une information en vitesse, dans quelles conditions la mère d'Hélène était morte, ce que j'ai vivement démenti puisqu'elle était en France. Un grand étonnement s'empara de lui aussitôt, comme si la survivante avait accompli une performance dont il ne l'aurait pas crue capable, puis il a voulu savoir comment je l'avais fait sortir et, sans prendre le temps de respirer, le nouveau nom d'Hélène, supposant qu'elle était mariée, et le prénom de ses enfants... Et il fallut chaque fois revenir sur ce que je répondais tant il voulait d'autres détails. J'ai dû lui promettre une photo de moi et Hélène ensemble, pour mettre dans sa cellule.

Après l'audience, je m'étais retrouvé la tête extraordinairement vide, comme si je n'avais rien conservé de ces deux heures de communications, d'échanges et d'impressions. Les cameramen m'attendaient dehors, et l'unique sentiment que je pusse leur rapporter fut ma surprise de ne pas avoir vu Douch sourire une seule fois. Par exception, le début de la rencontre avait été filmé : à l'opposé de ce que j'avais affirmé, le visionnage des rushes montrait le prisonnier affichant sans retenue sa satisfaction de me revoir. J'avais simplement projeté mes appréhensions sur lui, escomptant que l'exécuteur des hautes œuvres de Tuol Sleng, brisé par tant d'épreuves, ne pourrait plus sourire... Ce bout de film faisait encore voir la sympathie instinctive que j'avais insensiblement témoignée à l'égard de cet homme, lequel affrontait maintenant ses crimes avec la rigueur qu'il montrait autrefois en tout, sans fierté mais en bravant les regards, comme un enfant contrit recourt à la franchise pour mieux convaincre de sa sincérité…, tout en sachant que les plus zélés de ses accusateurs seraient ceux qui le condamneraient en se posant le moins de questions.

Dans la foulée, j'emmenai l'équipe de tournage à la découverte de l'endroit où l'on m'avait enchaîné jadis, au cœur de l'ancienne zone spéciale de la « Région Sud-Ouest », en plein territoire khmer rouge. La visite en prison m'avait désorienté. Il me fallait recouvrer le passé en foulant le sol d'antan pour mieux revenir à Douch, par le chemin même où je l'avais quitté.

La place environnée de bambous avait l'aspect sinistre des souvenirs qu'elle réveillait en moi. J'y trouvai tout de suite matière à sortir de mes refoulements et de mes répressions, et beaucoup de réconfort à reconnaître les hauts fûts qui m'avaient servi d'abri. J'avais le plan que Douch m'avait fait parvenir, et le nom d'un hameau facile à retrouver. Peu de temps après, un ancien Khmer rouge de ces lieux à peine habités était passé devant nous pour nous montrer le chemin. Mon jeune fils nous accompagnait, lui aussi sur les traces de l'homme qui avait sauvé son père. Des bosquets saccagés de bois sombres coupaient çà et là l'étendue aride des broussailles, mais la forêt était maintenant d'une sécheresse dont plus rien ne correspondait à l'idée que je m'en faisais encore. La sylve abandonnée n'avait gardé ni ses envolées, ni aucune de ses élévations que je lui avais connues ; et, pour moi, que le spectacle des vieux arbres disparût peu à peu de cette terre représentait le plus triste d'entre tous les mauvais présages. En cette saison, le ruisseau ralenti s'échappait sans bruit des bambous, entre les rares fougères. Quant aux belles espèces végétales du sous-bois, dont après tant d'années je me rappelais les contours, je remarquais que celles qui croissaient dans l'ombre avaient peu grandi, tandis qu'avaient repoussé plus vite d'autres espèces communes, moins intéressantes, hors le beau rotin dont les tiges préhensiles se collaient déjà à la chemise de mes gardes. L'arbre d'opale sous lequel j'avais été resserré se dressait maintenant plus haut, plus sec, plus cireux ; d'ici j'avais entendu les lointains coups de sonnette de mon ami le loriot… Mais voici qu'en quelques minutes, à l'ombre de ses couronnes élevées, comme si mes yeux avaient à la longue épuisé les secrets du visible, l'écoulement sur le sol poussiéreux d'une substance de mort et d'ossements amassés autrefois devint monstrueux. Quoiqu'on n'y eût plus rien enterré depuis longtemps, il flottait à cet emplacement un relent de mauvais lieu encore épouvantable.

Au retour, nous nous sommes arrêtés en chemin pour connaître sa famille : sa mère, sa sœur, et surtout sa seule fille, âgée de vingt-six ans, née à Tuol Sleng, l'aînée de ses quatre enfants, qui fit une forte impression à tout le monde. À celle-ci, je ne pus m'empêcher de dire que c'était à son père que ma fille devait d'avoir encore le sien. Toutes deux se sont rencontrées dans de telles circonstances. « Une fois, lui ai-je confié, alors que j'étais son prisonnier, ton père qui n'était pas encore marié m'a dit : "Un jour je pleurerai peut-être moi aussi sans savoir où se trouve mon enfant." As-tu été le voir en prison ? » Elle résolut de faire le voyage à Phnom-Penh. Je sais qu'elle ne s'y est pas rendue.

V

2009 – L'ACCUSÉ

Il y a quarante ans que la question me hante : ai-je jamais concouru de quelque façon à ce destin qui fait de moi l'un des seuls témoins, au procès des Khmers rouges, capable de considérer Douch avec une sollicitude si tragique ? Cette interrogation me taraude et gagne en force chaque jour.

C'est peut-être parce que j'ai commencé ma vie dans ce combat radical avec un ennemi abhorré, qu'on disait absolu, et que j'ai perdu cette innocence de l'adversaire ensuite. Cela s'est-il produit en Algérie, quand je me suis demandé comment je pouvais être à mon tour « l'ennemi »... Il ne m'arrive plus d'imaginer l'ennemi comme si différent de moi ; pour autant, cela ne m'empêche pas de le maudire aussi fort. Douch est devenu le grand témoin, la pierre de touche de ce déchirement, de cette contradiction intime, la meilleure grille qui m'ait été donnée pour m'entrapercevoir.

Je l'ai revu une fois, avec le juge Lemonde, dans le quartier sécurisé de sa nouvelle prison. Quatre cellules face à face, réparties de chaque côté d'un couloir. Ce jour-là, l'entretien s'est rattaché à des remarques anodines et nous avons évoqué le *Portail,* ainsi que la note qu'il finissait de rédiger sur ses impressions de lecture [1]. J'ai ressenti un instant la conscience très forte de pouvoir lire dans la composition de sa physionomie ce qui se dérobe d'ordinaire à notre entendement : de percevoir le point de bascule où les choses se détraquent, de comprendre la façon dont ce mal qui nous arrive vient en nous, par nous, de nous... Seul cet aspect de l'individu, de notre prochain, peut nous ouvrir les yeux sur la souffrance du monde.

Aujourd'hui, en ce matin du 8 avril 2009, c'est avec une force qui augmente d'intensité d'heure en heure que le même questionnement se prolonge dans ma tête, tandis que je me retrouve en plein cœur des encombrements de la route nationale n° 4, sous la protection d'un des gardes du corps de l'« Unité d'appui aux témoins et experts », dans une voiture affectée à mon escorte. Je sais qu'une fois franchies les portes du complexe judiciaire, ces interrogations resteront ancrées plus profondément en moi, la seule réalité, la seule pensée qui vaille devant le champ des morts.

J'ai reçu la « citation à comparaître » quelques jours plus tôt à Chiang Mai, alors que je ne m'y attendais plus. Les juges ont arrêté leur décision *in extremis,* pour m'entendre comme témoin de la Chambre, autrement dit sans lien avec l'une ou l'autre des parties. Dans un premier temps, les co-assistants juridiques de Douch m'avaient offert d'intervenir à titre d'« expert culturel » commis par la défense. C'était l'occasion inespérée de se mettre en relation, de parler plus librement et plus justement avec lui, de laisser venir les choses de l'intérieur, pour autant qu'un tel rapport de confiance puisse jamais se cultiver dans un parloir de prison. En vérité, cet homme, dont je voulais ainsi me rapprocher, à côté duquel je rêvais d'être le jour où percerait l'un de ses terribles secrets, il me semblait le connaître sous certains traits seulement, ceux que nous avions en commun, le reste n'étant que mystère... Mais j'ai décliné l'offre : ce que j'avais à dire sur la nature humaine s'apparentait trop à une sorte de « plaidoyer de culpabilité », de demande de pardon, dont les avocats de l'accusé étaient susceptibles de tirer parti au titre des circonstances atténuantes. Je ne pouvais pas accepter que mon recrutement par la défense pût laisser croire que je voulais contourner l'horreur et minimiser la souffrance des victimes. Il me fallait trouver le moyen de dépasser la personne de Douch et de garder une distance pour me faire mieux entendre.

C'est la raison pour laquelle je n'avais aucune objection à ce que ce soit l'accusation qui me cite à comparaître : pour moi, pointer Douch du doigt revenait à montrer l'homme également. Et j'avais de toute façon l'intention de dire les mêmes choses. Cependant, les co-procureurs avaient finalement résolu de ne pas me convoquer... Bref, l'ensemble de ces atermoiements, échelonnés sur des semaines, expliquent maintenant que je n'aie plus fermé l'œil depuis plusieurs jours et que je me retrouve mort de peur. J'ai passé la nuit à réfléchir en griffonnant des mots, sans être sûr de rien, et j'ai préparé une petite liste, à garder sous les yeux pour le cas où un nom propre, une date ou un lieu feraient défaut à ma mémoire.

En dépit des désordres de la circulation, nous arrivons à l'heure – huit heures –, devant l'une des entrées de la vaste forteresse dont, par intervalles, les longues perspectives, à même le sol de la rizière, s'avèrent infectées, jusqu'à cette distance, par l'air poussiéreux et foisonnant des caniveaux de la ville.

Le véhicule se gare au milieu de bâtiments circulaires ornés de toits pointus, dans le prolongement d'une porte donnant sur un couloir, d'où part un faisceau de gros câbles électriques dénoués par endroits. Dans une cour, à l'abri d'un pagodon en dur, une sorte de dieu du sol debout, sorti d'un panthéon perdu, brandit sa massue de fer et pointe son index menaçant : on y agenouille les témoins pour la prestation de serment, souvenir des deux Neak Ta de l'ancien tribunal, du temps de l'Indochine française. Sans attendre, on me conduit à travers différents bureaux, jusqu'à une sorte de cagibi dérobé et sans air, ménagé sous un escalier. Là, je dois me tenir prêt, mais je m'enfuirais tout de suite, s'il n'y avait à mes côtés une étudiante en droit de l'ancienne Allemagne de l'Est, affectée par le tribunal à l'escorte des témoins. En cet instant, je suis prêt à donner n'importe quoi pour ne pas marcher au supplice. J'ai le sentiment attroce de venir commettre ici un crime de lèse-humanité…

Déposer devant la cour. Rapporter de quelle manière l'accusé s'est trouvé sur mon chemin. Affronter un public qui n'attend qu'une chose pour bondir : que je fasse du bourreau un portrait humain par où je serai suspecté d'expliquer, de comprendre et ainsi d'excuser – alors que mon désarroi vient justement de l'impossibilité de plaindre et encore plus d'absoudre. Bref, assumer sans faiblir, si grandes soient les charges qui pèsent contre lui et l'horreur encore plus grande que son action m'inspire, l'empathie dans laquelle je me suis trouvé avec lui dans la forêt d'Omleang. Livrer le fond de mes pensées, malgré les voix qui vont s'élever au nom de la raison. M'affranchir des tabous, ne pas fuir les questions, me camper devant ce que je n'ai pas honte de croire, retrouver les mots de mes insomnies, révéler ce que j'ai vu un jour et que je revois sans cesse. Réaffirmer, au risque d'être taxé d'hérésie, la vérité devant laquelle nous reculons depuis les origines : l'humanité du monstre.

Je connais déjà le nouveau Palais de justice, comprenant l'enceinte du tribunal proprement dit, avec ses banquettes en arc d'ellipse et son aménagement de bois clair, où le greffe, le parquet, la barre, le barreau, sont distribués face au siège plus élevé des juges, le tout séparé de la galerie réservée au public par un mur de panneaux vitrés. Je m'y suis rendu l'année précédente, pour les besoins de l'instruction, puis tout au début du procès, avant l'annonce officielle de ma comparution.

Hélène veut en profiter pour voir Douch en chair et en os au moins une fois dans sa vie. Le personnage demeure l'épicentre d'un séisme qui a dévasté son enfance, celui de son plus vieux souvenir et de ses premières peurs. Après avoir protégé longtemps les apparences, il faut bien, de son côté aussi, qu'elle s'arrange de la réalité : accepter que l'homme à qui

elle ne sera jamais trop reconnaissante d'avoir sauvé
son père, soit aussi un tueur qui en a fait mourir une
multitude d'autres. Lui-même ne l'a jamais vue qu'en
photo. Un matin, tandis que le public et les journalistes commencent d'arriver en cherchant leurs
places, nous nous approchons tous les deux discrète-
ment du prétoire, et, pendant quelques secondes,
Hélène se tient là, plantée devant la vitre blindée,
de façon que Douch l'aperçoive. Mon « libérateur »
trouve ainsi le temps d'observer ma fille et de
répondre à son salut de la main. « Que serais-je devenue sans lui ? » songe-t-elle en regardant le bourreau.

Le manège n'a pas échappé aux personnes du premier rang, assises juste derrière, parmi lesquelles
l'ambassadeur de France qui semble offusqué, et une
femme en particulier, une Française. Un peu de
temps après, celle-ci vient me saluer. Son mari a été
assassiné à Tuol Sleng comme les autres, mais pour
elle c'est le seul. Elle est venue témoigner, en mémoire
du père de ses enfants et de l'homme qu'elle aime
encore. Elle me dit à quel point sa vie avec ses filles
est devenue un enfer. Elle a vu Hélène, elle a lu mon
livre, elle me dit comprendre, mais elle veut que je
sache que son cœur s'effondre. « Que ne serions-nous
pas devenues sans lui ? » songe-t-elle en regardant le
bourreau...

L'alarme d'une sonnerie retentit. La porte du
cagibi s'entrouvre, l'huissier m'invite à le suivre dans
un passage obscur et j'entre sur scène, la peur au
ventre, comme si c'était moi le prisonnier : devant
mes yeux se tiennent des dizaines de personnes dans
un silence absolu... Au sein de l'espace fortement

éclairé et calfeutré comme une trappe, dont il me faut supporter l'atmosphère raréfiée, il me revient que d'autres couches d'une présence plus nocive vont bientôt m'atteindre. La tragédie du bourreau apparaît ici dans sa quintessence, de la façon la plus personnelle, la plus individuelle, la plus funeste qui soit, dans une mise en scène qui rappelle que je suis là aussi quelque part, que j'y ai ma place, que je dois en répondre pour moi et les autres.

Au spectacle qui se joue sur le thème de l'humanité mise en accusation, Douch est dans le rôle de la créature déchue, pour avoir fait le mal en voulant faire le bien. On ne se purge du tragique que par le tragique même, et nous n'avons rien d'autre que le théâtre pour cela, hors nos grandes cérémonies magiques d'expulsion du mal, dans des guerres éternelles, contre le même ennemi. Il faut beaucoup de dramatisation, en effet, pour se saisir d'un être et le sortir de son temps, en vue de conjurer le diable qui reste caché en lui. Mais de quelque façon que j'interprète la scène, j'entends déjà chanter et danser dans la salle, pour l'exorcisme de la bête.

Douch se tient, au milieu de ses gardes, à quelques enjambées de là où je vais aller m'asseoir, étranger à lui-même, acquis aux forces de la justice, prêt à collaborer, conscient du mal qui lui est échu, sentant que c'est en lui, dans son être propre, que tout cela s'est effectivement passé. Il feuillette un dossier, penche l'oreille pour écouter quelque chose, cependant que ses yeux ne cessent plus de se poser sur moi et sont emplis d'attente. Pour un court instant, je les trouve envahis d'une angoisse si visible que je m'efforce de ne pas les croiser. J'y revois cependant la même apparence de fierté que le Khmer rouge avait eue le dernier soir, au cours du dîner, en m'entendant répondre aux questions de ses chefs[2].

À présent, l'exhalaison de ses victimes, remontées à la surface, au fur et à mesure des interrogatoires, l'empêche de respirer. Depuis longtemps, son sort l'a abandonné à l'épuisement qui fait choir les bourreaux. Ses prunelles ne s'étrécissent plus à la lumière lointaine de cet azur d'une terre promise qui a fui devant lui, comme elle s'est toujours dérobée devant l'homme, parce que les points de fuite de cet horizon-là sont placés bien trop bas à la surface du ciel. Et tandis que tous ses camarades sont morts avant l'heure où les désenchantements et le dégoût commencent, Douch me regarde avancer dans le prétoire. Je suis le dernier témoin de ce temps, où le courage qui le poussait à vivre était celui de l'espérance, avant de devenir celui du désespoir.

Pourtant mon témoignage l'accuse aussi : sans moi les nombreux crimes de M.13 seraient restés dans l'ombre. Et tant il est vrai qu'on voit mieux les choses lorsqu'elles surviennent près de nous, il se dégage de son être une si grande quantité d'angoisse, de honte et de souffrance, avec en même temps un besoin si poignant de voir la vérité se faire jour, que je sens la haine et les cris de la foule remonter dans mon ventre, tel l'effet d'un malaise et de la nausée qui s'y précise soudain.

Sous les feux de l'extrême lumière qui se projette sur moi, l'huissier m'amène à l'emplacement réservé au témoin. Il m'indique, de façon réglementaire, le fonctionnement des micros munis d'une lumière rouge, l'appareil de rétroprojection, l'écran plat et la commande du casque relié avec les interprètes. Je déplie ma liste de mots à ne pas oublier, et j'ai dans mon attaché-case, comme pièces à conviction, le cahier jauni que Douch m'avait donné pour écrire, ainsi qu'une copie du *Portail*.

À présent mon esprit n'a plus de cesse que de se fixer, de se remobiliser, alors que je me trouve dans un état d'agitation presque hostile et que je perçois mon trac au tremblement de mes doigts. Dans le prétoire, l'ambiance est lourde mais exempte d'agressivité. Lèvres bleues, dents mates, le président a le teint foncé des villageois qui me met en confiance. L'attitude des autres juges et des avocats semble tout aussi amène. Le plus dérangeant, ce sont immédiatement les temps morts, l'excessive lenteur pour chaque prise de parole, les délais sans raison apparente, au point que je me soucie de commencer ma déposition avant que le greffier ne m'ait lu la prestation de serment. Je note la traduction hésitante du français vers le cambodgien, pour ne rien dire de celle du cambodgien au français. En bougeant sur ma chaise, j'ai le temps de lancer un coup d'œil par les vitres sur un public nombreux d'où monte une sorte de bourdonnement sourd qui paraît venir de loin.

Dans ce silence des paysans amenés chaque jour par les bus d'associations de victimes, outre le désarroi qu'aucun surcroît d'inattendu ne peut plus aggraver, se lit l'abandon des mécanismes de défense de chacun. Ce monde muet mijote dans un étrange mélange d'hostilité, d'inquiétude et de chagrin rentré, sans sortir une seconde du cauchemar qu'il continue de vivre. Beaucoup portent encore sur le front les stigmates de la mort dont ils ont réchappé, et tous partagent leur rage devant l'emblème vivant de ceux qui ont tué en si grand nombre des Khmers. La vision qui s'offre à eux les fait replonger dans le monde de bouchers qu'ils ont tous découvert, trente-cinq ans plus tôt, avec le regard innocent et effrayé de l'enfant.

On ignore le nom des forces en présence qui s'affrontent dans un tribunal, une fois passé les portes de la salle d'audience, là où le public, la défense, l'accusation, le coupable, les juges se contemplent fixement ; l'improbable mélange de distance et de proximité agit ici spontanément en libérant les puissances de la haine. Le plus terrible, c'est la description publique des supplices appliqués aux victimes par l'auteur : les longs abois de la douleur de l'être nous arrivent en courant, et ce qui nous meurtrit ainsi vient du dedans, comme si cela se précipitait vers nous « du plus profond de notre image dans le miroir »[3].

Pour tout le monde le bourreau symbolise ici, sous sa forme la plus maléfique, le désastre qui s'est abattu sur le pays khmer et tous ses habitants – le sol, la maison, le père, la mère, l'épouse, le mari, l'enfant mort. Au moment où j'écris ces lignes, je peux entendre la violence qui explose dans le cœur des proches et des enfants de mes amis défunts, venus regarder l'altruicide, mémoriser son visage, intercepter l'expression de ses traits, saisir pour l'éternité ce qu'il y a d'émanation du mal dans la figure d'un homme qui ne les connaît même pas. Tous sont impatients de prendre leur revanche, d'excréter le trop-plein de leur douleur, de la dériver, de l'évacuer par l'unique canal dont chacun dispose : celui de la vengeance. Retourner le malheur comme le sorcier renvoie le mauvais sort à sa source.

Dans un tribunal, s'il existe quelque chose d'inhumain, c'est assurément cette action de la justice sur la souffrance des êtres. Les lois ne parviennent à consoler personne quand nos larmes sont du ressort de la chair. Les juges interviennent dans le sein de chacune des parties, embrassent la cause des victimes, considèrent les droits de l'accusé, coupent les cheveux en quatre, délibèrent sur la base d'une moyenne comptable qui relève du calcul mental. De là, le drame des victimes éternellement frustrées ; de là, le drame du coupable à jamais incompris. D'où l'impossible mission des avocats ; ceux de l'accusation qui refusent de regarder l'homme avant de s'occuper de l'assassin, ceux de la défense qui masquent l'assassin pour mieux nous faire voir l'homme. D'où l'inévitable trahison des juges, dans une comédie qui pourrait être une farce, si le but n'était pas de rassurer le public et de nous libérer de nos peurs.

Le vice vient de cette obstination à considérer l'homme du dehors, selon un processus mental qui pousse à donner corps à nos métamorphoses les plus imaginaires ; de cette propension à réduire le discours à ses schèmes, à le refermer sur lui-même en niant la réalité ; de cette tentation d'étouffer les voix qui contredisent et nous expliquent pourquoi « manger du fruit de l'arbre de la connaissance était un risque de chute, une perte de la vraie vie »[4]. Je réprouve cette bonne conscience, rationalisée, institutionnalisée, sur laquelle on oblige nos enfants à se construire.

C'est à se demander si nous verrons jamais les Cours pénales internationales – soumises à de si grandes pressions dès lors qu'elles sont des fenêtres ouvertes sur notre vrai visage –, procéder un jour à l'instruction de crimes *contre l'humanité* en osant s'attaquer à « l'homme », sans purement se cantonner dans le procès d'« un homme ».

Si reconnaître un assassin consiste ordinairement à le distinguer parmi d'autres créatures, reconnaître le responsable d'un amoncellement de plusieurs dizaines de milliers de corps tassés, c'est se rendre compte d'abord du genre auquel ce dernier appartient. Le souvenir particulier s'estompe devant de telles images ; ma perception saisit naturellement les traits individuels dans le premier, tandis qu'elle les laisse s'échapper dans le second. Je me sens part de cette unité-là, je la ressens en moi, et à cause d'elle je suis.

Il me semble, pourtant, que ma vie entière s'est passée à entendre du fond de la terre monter le cri du bourreau. Une nausée me saisit qui ne disparaît plus, à l'image de ma détresse dans le froid des voies ferrées de la gare de Bar-le-Duc. Serons-nous toujours trop effrayés pour reconnaître cet instant de vérité, comprendre que l'être humain qui lève le bras sur son prochain n'existe pas comme tel ? En cela, il s'approprie son crime de la seule manière qui soit : crier pour puiser à sa source la cruauté dont il a besoin. Pareil à l'égorgeur de moutons des abattoirs de Nancy, qui rudoyait, insultait, terrorisait ses victimes inoffensives, poussé par la nécessité de regrouper toutes ses forces. En Thaïlande, le tortionnaire s'y prend différemment ; il s'agenouille au pied du condamné avec un bouquet de fleurs avant de l'exécuter. Un peu comme je le faisais pour les porcs de Srah Srang… Férocité, apitoiement, chacun s'élance à sa façon, par rapport à son rang et à son milieu, tantôt en amont et tantôt en aval de sa propre épouvante.

Sous nos pieds, à côté de dragons gigantesques, subsistent des caves pourrissantes où se meut l'esprit des temps immémoriaux, des grottes aux lits d'ossements, emplies du corps de nos aïeux, mélangés à leurs proies, sans le moindre interstice.

*

— Avez-vous été arrêté par des Khmers rouges et interné dans la Province de Kompong Speu en 1971 ?

— C'est exact, monsieur le Président.

Je me suis juré pendant la nuit d'évoquer d'emblée le sort des prisonniers de M.13 et de rappeler le nom de Lay et Son dès le début de ma déposition. Les images aussitôt réveillées passent devant mes yeux, telle une histoire en bandes-dessinées que je me mets à lire.

Au moment où j'évoque ma première rencontre avec le jeune Khmer rouge, tandis que, par ailleurs, je suis dans le champ des yeux de l'accusé et que celui-ci voit passer les mêmes images que moi, je fais l'expérience d'un étrange dédoublement du temps, lorsque déjà la tristesse qui accablait ses traits m'avait paru être une prémonition.

Plus loin dans mon récit, quand j'évoque cet adolescent venu nous chanter, de sa voix de soprano, une mélodie inspirée de la musique révolutionnaire chinoise, que nous avions tout deux écoutée en rêvant, je vois Douch se figer lentement sur son banc, en hochant la tête, comme si ce souvenir lui égayait le cœur plus qu'il n'eût cru que cela soit encore possible... Le jeune chanteur était venu timidement s'asseoir face à nous. « Le son sortit sans effort de sa bouche entrouverte, tremblant, délicat, léger, fragile comme un trait de plume. Est-il émotion plus poignante que celle inspirée par des mots d'amour et de haine, lorsqu'ils sont chantés par un enfant ? Il y avait tant de pureté dans sa voix argentine, suspendue aux étoiles, que chaque syllabe s'auréolait d'une beauté éternelle. »[5]

Mon témoignage dure des heures et ne s'achève qu'avant la pause de la demi-journée. J'ignore par quel phénomène mon stress m'a permis de tenir bon : il m'a fallu parler avec une voix écrasée, entre l'émotion des souvenirs qui m'agitent encore et l'horreur des crimes que je vois toujours, sans sortir une seconde du champ de vision de l'homme dont tout cela dérive, et comme étranglé sous la pression de la même fatalité que lui.

À partir de là je crois en avoir fini, mais il revient encore aux représentants des différentes parties de me poser des questions. Aussitôt après le repas, mon interrogatoire commence.

Curieusement, le juge français s'arrête assez longtemps sur l'examen des pièces qui m'ont été remises par les guérilleros pour l'Ambassade de France. Ces documents, dont je ne me souviens plus très bien, dérangent une thèse (en faveur chez certains historiens comme auprès d'anciens cadres communistes dans la mouvance de Hanoï) qui prétend que les révolutionnaires cambodgiens n'avaient pas de programme politique à cette date (fin 1971). Que puis-je à cela ? Les photos et les deux fascicules dûment remis au chargé d'affaires se sont perdus à Phnom-Penh, et si leur traduction par mes soins a fait l'objet d'une dépêche à Paris, c'est sous une forme tellement abrégée qu'on n'en retrouve plus esquissées que les grandes lignes. Le passage relatif aux changements de la société prévus dans le futur, qui semble intéresser plus particulièrement le juge, y est passé sous silence. J'ignore s'il faut imputer ce coup de ciseaux à la censure que le poste s'efforçait d'exercer à l'époque, suivant en cela la ligne du Département, plutôt favorable à l'alternative khmère rouge. À vrai dire, la polémique m'indiffère. Toutefois, j'en perçois l'intérêt dans le contexte du procès, et je suis rassuré d'entendre Douch confirmer devant la Cour qu'il s'agissait, en effet, de deux textes relatifs au « Programme politique du Parti » qu'on m'avait remis à l'issue d'une réunion placée sous la présidence de Ta Mok [6].

Le juge demande ensuite l'autorisation d'interroger directement l'accusé sur un extrait de mon ouvrage. Le temps que la demande parvienne en khmer au Président et que celui-ci consulte les autres magistrats, l'occasion m'est offerte de regarder l'accusé dans les yeux et de prendre toute la mesure d'une situation où nos rôles respectifs se sont renversés.

— Bien… Vous m'entendez ? Je vais donc reprendre et lire devant vous un passage où le témoin rapporte ce que vous lui avez dit.

J'en reste foudroyé, stupide, n'entendant plus rien. C'est l'épisode qui l'accuse[7], je l'avais pressenti : quand il lâche son secret, les yeux grands ouverts, comme on s'adresse à l'autre dans les psychanalyses, quand il confesse devant moi ce qui lui échoyait incontournablement et cette violence qui le poussait à agir.

Le juge lit lentement le passage au micro… [8]

— Êtes-vous d'accord avec cette transcription ? Les mots qui vous sont prêtés se rapprochent-ils de la vérité ?

Mon Dieu ! Ce ne sont sûrement pas les mots exacts sortis de sa bouche, dont lui-même du reste ne peut plus se souvenir… Ce que j'ai rendu à la lettre : c'est le ton, le souffle, la voix, le silence qui nous enveloppait, tout l'infalsifiable ; la vérité de ses paroles à jamais vivante et restée nue à mes yeux, alors impensée, mais pleinement perçue à l'instant où elle s'est fixée dans un recoin de ma mémoire, et peut-être inséparable des mots qui sont venus avec.

À vrai dire, j'ai retranscrit ce moment crucial avec beaucoup de précautions, soucieux de la meilleure façon d'en rendre toute la justesse, jusqu'à consulter les interviews de Battambang[9] où Douch revient précisément sur sa révolte pendant les interrogatoires, de façon à rester le plus possible dans le registre de son vocabulaire et de ses expressions.

Cela étant, Douch répond de travers, tournicote d'une manière assez peu en rapport avec sa personnalité, revient sur les circonstances, associe les propos que je lui prête, tantôt à un événement précis et isolé, tantôt à sa fatigue de l'époque et au paludisme, et pour le reste ne se souvient plus très bien.

Le juge enfonce l'épée :

— Pensez-vous que ce que rapporte monsieur Bizot ne correspond pas à ce que vous avez dit ? Est-ce la vérité, ou n'est-ce pas la vérité ?

L'accusé se lève : « Oui, je pense que ce qui est rapporté représente la vérité exacte. »

Moi ce que j'entends, de toute façon, c'est qu'il était hors de question de me démentir en public, au risque de se prendre les pieds dans le tapis à son tour.

*

Après la pause, c'est à l'accusation de m'interpeller. Le président donne la parole au co-procureur étranger.

— Vous n'avez pas été frappé, soit... Mais qu'en est-il des tortures psychologiques, et en particulier de ces blagues *Ah ! ah ! ah !* de l'accusé ?

C'est la raison pour laquelle, par-delà les images de supplices et de mort qui s'emmêlent dans ma tête en un jeu de correspondances cauchemardesques, il me faut attester impromptu des « farces » que l'accusé pouvait s'amuser à faire, à commencer par la plus déconcertante, celle dont lui-même ressent encore plus particulièrement la gêne [10]. Ce jour-là, à peine revenu de la réunion où se jouait mon sort, l'ordre de ma libération dûment signé en poche, le jeune guérillero cache son impatience de m'annoncer la bonne nouvelle, s'approche comme si de rien n'était, et m'avise brusquement du contraire, en prenant un air grave... pour plaisanter.

Évidemment, je comprends tout de suite où le procureur veut en venir. Son rôle est de rassurer tout le monde, et pour cela il faut revenir au dogme : l'*anormalité*, la perversité du criminel, l'*inhumanité* du bourreau. Quitte à déformer le modèle aux dépens de la ressemblance. Observer l'autre par le petit bout de la lorgnette, user de correspondances symétriques, pour aller le chercher dans nos propres cachettes : mimiques insolites, penchants suspects, *habitus*. Planer sur l'idée que Tuol Sleng est l'œuvre d'un pervers, et les atrocités commises, l'effet de ses prédispositions. Montrer que cela ne s'est pas fait sans lui. Puis sous l'œil des quinze parties civiles, passer du portrait directement à la caricature et sortir de son chapeau, telle une apparition dans un théâtre de fantasmagorie, la dernière illusion d'un Jack l'Éventreur dépeint pour nous en train de ricaner.

Certes, tout grand procès arrive à des validations de ce genre. Surtout quand l'expertise mentale du sujet apporte des résultats qui ne réconfortent personne. Dans le cas présent, ils sont même si ordinaires, si peu encourageants, que l'évaluation de Douch est proprement de nature à nous affoler. Dès lors, dans cette nécessité de remettre les choses à la bonne place, de protéger nos institutions, que ce soit pour elles-mêmes ou pour le bien public, il incombe à l'Accusation de trouver les indices psychologiques, fût-ce parmi les plus communs, susceptibles d'impliquer l'accusé de manière personnelle, physique, intime, dans le processus des crimes.

À la vérité, je me plie d'autant plus volontiers à la demande qu'en projetant publiquement son tour de passe-passe, le représentant du ministère public devient sans le vouloir mon allié. À M.13, en ce temps-là, la raison n'avait toujours pas étouffé l'envie de rire – une envie peut-être d'autant plus forte pour tout le monde que l'angoisse se faisait croissante. Et ce besoin de plaisanter, avec les gardes ou même avec les prisonniers, recélait à mes yeux la plus distincte, mais aussi de la plus tragique qui soit, des preuves de son humanité.

*

Plus tard dans la journée, se présente le moment réservé aux représentants des quatre parties civiles.

Question du co-avocat étranger du groupe 1 :

— Pendant les nombreux entretiens que vous avez donnés à la presse, ces derniers mois et ces dernières années, il y a une phrase récurrente : « Derrière le masque du monstre il faut s'efforcer de voir l'être humain. » Et vous avez vous-même apparemment réussi à faire cette démarche, par rapport à l'accusé, et à voir l'homme en lui. Bien sûr, cette démarche vous appartient et nous la respectons. J'ai juste une question par rapport à cela. Vous n'avez pas seulement été victime de l'accusé. Vous avez été détenu par une organisation, les Khmers rouges, et bien sûr vous savez ce qu'ils ont fait ensuite à ce pays, qui est un pays que vous aimez. Est-ce que vous êtes dans la même disposition de voir l'homme au-delà du bourreau, par rapport aux responsables khmers rouges encore vivants et en attente de procès, avec lesquels vous n'avez pas eu d'interaction directe, je pense notamment à Nuon Chea[11]. Est-ce que vous arrivez également par rapport à lui à voir l'homme ?

... Mon sang ne fait qu'un tour. Je ne sais plus ! La surprise me déconcerte tout à coup, et je me sens incapable de formuler quoi que ce soit. Il s'ensuit dans mon cerveau une sorte d'étonnement massif, un trou noir qui m'oblige à remonter le temps au hasard, à réédifier la genèse où se disperse ce que je crois progressivement depuis M.13, à revisiter mes pensées de l'intérieur, jusqu'à ressaisir les premiers fils de cette « philosophie du masque » que Douch m'a mis un jour entre les doigts, pour me faire prendre conscience du malheur qui se cachait en lui, en moi, en tout le monde... *Quid* de Nuon Chea, le numéro deux du régime, le haut responsable de la sécurité qui lui passait ses consignes au téléphone, le diable par excellence ? Oui – Non ?... Est-ce la même personne ?

— Oui maître..., mais mon affirmative reste longtemps suspendue dans la salle, et l'avocat finit par se rasseoir en me remerciant de la réponse.

En réalité, j'ai lâché cette réponse d'instinct, sans en maîtriser le sens, loin d'être certain de ne pas me contredire, de ne pas m'être fourvoyé dans l'un de ces pièges de logique, où je me prends facilement, dès qu'il s'agit de déductions ou de symétries en trompe-l'œil. Je sais maintenant que c'était bien un « oui » qu'il me fallait répondre, pour être cohérent avec moi-même et avec mes sentiments. D'ailleurs je ne pouvais guère me tromper, à partir du moment où je n'affirmais finalement rien qui me soit dicté par de la gratitude pour Douch, plus que par mon aversion pour les Khmers rouges et Nuon Chea ou Ta Mok. Simplement, je n'avais peut-être encore jamais pensé les choses en partant d'eux. À ce titre, les cadres du parti n'avaient pas davantage d'excuses, mais d'un autre point de vue ne méritaient pas non plus davantage de haine. La culpabilité des uns rejoignait celle des autres, sans blanchir personne. Cela dit, je trouvais normal, comme tout le monde, que Douch, contrairement à ses supérieurs dans l'attente d'être jugés, disculpe automatiquement ses propres subordonnés, dès lors qu'aucun d'eux ne pouvait éviter d'obéir.

*

L'autre choc de l'après-midi vient d'une demande de l'avocat français du groupe 3, formulée en des termes obligeants, à laquelle il m'est de toute façon difficile de ne pas acquiescer.

— Je quitte les faits, puisque de très nombreuses questions vous ont été posées. Il me semble que la hauteur de vue à laquelle vous vous êtes situé tout à l'heure, la distance que vous avez volontairement prise, m'autorise à vous interroger sur votre ressenti. Est-ce que vous me permettez d'effectuer cette démarche auprès de vous ?

Sa question est en deux parties. J'omets sans le vouloir la première qui relève de la sincérité des remords exprimés par l'accusé. Pour moi, cette obsession d'authenticité ne va pas de soi. Ce besoin perpétuellement rabâché me paraît même suspect, déplacé, bizarrement archaïque, et d'une certaine manière choquant face au nombre des morts. Est-il si difficile de comprendre par soi-même que le mal est amplement consommé, à son niveau le plus élevé, et que le bourreau peut donc bien vouloir apaiser sincèrement sa conscience, moyennant des regrets qui sont d'autant plus vrais que sa chute est profonde ? Que cherche-t-on enfin, puisque, de toute façon, aussitôt que la vérité de ses sentiments s'avère, ceux-ci nous font si peur que nous refusons d'y croire !

— Lorsque vous quittez vos camarades, on vous dit : « Camarade français, ne nous oublie pas ! » Si Lay et Son étaient aujourd'hui ici, qu'attendraient-ils de cette confrontation, qu'attendraient-ils de ce procès, et vous m'avez compris, au-delà de vos deux compagnons, que peuvent attendre aujourd'hui les parties civiles ?

Sur le coup, je n'ai pas de réponse non plus. Comment m'ériger en porte-parole des morts ?... Lorsque soudain, en apesanteur dans le prétoire, la cohorte des fantômes de M.13 s'avance à mon secours, tandis que se réveillent en moi la fureur que j'ai vu dévorer le cœur de Lay, l'angoisse que j'ai vu glacer le sang de Son, et cette vengeance dont j'ai vu tous les autres convulser et blêmir. Aussi, c'est dans les termes qu'ils me soufflent à l'oreille que je me fais aussitôt leur truchement, pour demander que la peine du bourreau soit exactement calculée à l'égal de la souffrance qu'ils ont eux-mêmes endurée [12].

*

Le 26 novembre 2009, le dernier jour d'une procédure qui a duré presque deux ans, et tout au long de laquelle le détenu a servi la justice pour que la vérité se fasse jour, a coopéré, renoncé à son droit au silence, facilité la découverte des preuves, témoigné contre ses anciens chefs, proclamé sa culpabilité, sa responsabilité, reconnu sa lâcheté, demandé pardon, Douch cesse peu à peu de rester à l'écoute des co-procureurs, de leur prêter une oreille attentive ; il rentre dans sa coquille, refuse de répondre à des questions de toute façon déjà posées cent fois, et d'une manière générale, décide de se taire définitivement, de ne plus écouter, de tourner le dos au reste du monde [13].

Le co-avocat français de la Défense, Me Roux :
« Monsieur le procureur, vous avez manqué votre rendez-vous avec l'histoire ! [...] Vous avez fait un réquisitoire traditionnel dont la philosophie n'est autre que : "Cet homme est un monstre, enfermez-le pour quarante ans, et tout ira mieux dans la société !" Ce discours est usé, il faut aller plus loin. Il faut essayer de comprendre les mécanismes qui font qu'un homme – bien sous tous rapports, comme on dit –, devient un jour un bourreau. C'est cela que j'aurais aimé vous entendre aborder ! Parce que, à Nuremberg, on a dit la même chose : "Ces gens sont des monstres. On va les condamner à mort, et cela servira d'exemple." Mais après Nuremberg, il y a eu le Cambodge, il y a eu le Rwanda... Qu'est-ce que cette exemplarité que vous recherchez ? Elle sert à quoi dans vos discours convenus, tant que vous n'abordez pas le vrai problème [14] ? »

En fait, l'Accusation a parfaitement joué son rôle : au nom de la société, les procureurs sont parvenus à répandre un sentiment de frustration permanent, agissant chaque jour en sorte que les faits reconnus nous paraissent tronqués, que les aveux de l'accusé nous semblent dissimuler ce que la réalité avait de brutal et d'affligeant. L'opinion publique s'est précipitée dans cette conviction des juges, comme on se précipite pour chercher du secours : « Douch ne disait pas tout » ; ses remords n'étaient pas exprimés de façon droite et sincère. Point final. Tout avait été mis en œuvre, dès le début, pour nous faire comprendre que c'était « lui » le coupable, cet individu-là, très précisément, et que « l'humanité » n'y était pour rien. C'était Douch que la loi sanctionnait. Il méritait la peine maximum qui lui serait infligée par la justice publique, afin que le nœud du problème ne soit ni traité, ni jamais évoqué.

Douch s'estime son prix, il sait ses crimes inexpiables et ne cherche pas à fuir :

« Le mieux que je puisse faire est de m'agenouiller et de prier pour le pardon. Les victimes et les rescapés peuvent me pointer du doigt. Je n'en suis pas offensé. C'est votre droit et je l'accepte respectueusement. Même si le peuple me lapide à mort, je ne dirai rien, je ne dirai pas que je suis déçu ou que j'ai envie de me suicider. Je suis responsable de mes actes et, qu'on me pardonne ou non, c'est le libre choix de chacun. Je me trouve ici pour accepter ma responsabilité. Je suis empli de remords pour ce que j'ai fait, et je parle du fond de mon cœur. Je n'utilise cela en aucun cas comme un prétexte. Mes paroles sont sincères [15]. »

Rien ne pouvait plus apaiser Douch maintenant, sauf une chose. Sa collaboration permanente à la justice des hommes avait pleinement visé à montrer le plus naïvement, le plus justement, le plus sincèrement possible, à quel point il était important qu'on l'écoute et qu'on le croie. Il se trouvait doté du courage d'endurer toutes les peines, à la hauteur de ses remords, en son nom, en tant que repenti, et pour ses propres crimes. Pas pour ceux qu'on prête à nos représentations grossières, sous le masque desquelles chacun s'apprête à l'effigier en criant, afin de ne jamais voir celui qui est dans le rôle du monstre, avec sa physionomie d'être humain.

Mais cela c'était vouloir l'impossible.

Le bourreau s'est donc tu, conformément à ce qu'on attendait de lui. Puis à la fin il a demandé l'extinction des poursuites, comme on baisse les bras, en un retournement qui ne fut pas dû seulement aux pressions politiques, exercées via son avocat cambodgien, pour qu'il allie sa défense avec celle de ses anciens modèles, eux-mêmes en instance de procès [16]. Ce changement lui fut dicté par la surdité centrale du Bureau des co-procureurs, celle-ci faisant écho à un autisme beaucoup plus essentiel : notre incapacité à entendre en même temps ce qu'il y a d'odieux et de pitoyable dans la nature des hommes.

Rien par-delà les murs de Tuol Sleng qui ne renvoie à autre chose qu'à nous-mêmes [17]. Aurons-nous jamais le courage d'acquérir cette vision et de nous l'avouer ?... Cette conscience, au-dehors et en dedans de nous, de s'entre-dévorer, de s'autodétruire, depuis que nous avons trahi pour dominer le monde ?

Les maux que nous endurons remontent « d'un gouffre plus profond et plus large [que notre passé], ils semblent antérieurs à notre naissance [18]. »

Au sortir de ce procès, l'orgueil de l'être humain est sauf : le monstre n'a pas été identifié. Douch ne nous fait plus peur. Pourtant, que ne peut-on pas craindre de ce silence du bourreau, ce silence sur nous-mêmes, identique à celui de ma mère jadis, comme si tout se trouvait accompli au fond de nous [19]...

POST-SCRIPTUM

Aujourd'hui, Douch se sent avoir été floué par tout le monde, peut-être par moi aussi. Non pour m'être érigé contre lui en porte-parole des morts – cela, je sais qu'il le comprend –, mais parce que je l'ai mis sur le même plan d'humanité que le pire des chefs dont il exécutait les ordres, Nuon Chea : l'homme froid et sans remords, l'auteur de ses malheurs, l'objet de sa colère, le seul après Pol Pot auquel il n'avait jamais cru pouvoir être comparé un jour.

PREMIÈRE ANNEXE

Le portail n'a été remis à Douch qu'à son transfert dans la nouvelle prison des CETC. Je lui ai aussitôt demandé de consigner sur le vif les impressions que ce retour à des événements du passé ferait revivre en lui, comme les nouvelles pensées qui se formeraient, peut-être en côtoyant les miennes.

Le présent texte est le résultat de cette lecture. Douch me l'a fait parvenir dans le courant de l'année 2008, sous la forme d'un document de six feuillets, recto verso, couverts d'une écriture appliquée. J'en livre la traduction française, en respectant les mêmes alinéas, parenthèses, notes, paragraphes et sous-titres que dans l'original.

*Mélange [de souvenirs] à propos
du* Portail *de François Bizot
[par Kang Kek Iev alias Douch]*

INTRODUCTION

Depuis déjà bien longtemps, il me suffit d'évoquer [le nom] de *lok*[1] Bizot pour que des souvenirs très rafraîchissants se présentent à mes yeux. C'est lui qui m'a dit : « Les voyelles et les consonnes de l'alphabet khmer sont la manifestation des vertus de la mère et du père. »[2] Voilà une des choses dont je me souviens.

D'ordinaire, je ressens plutôt une grande pitié pour lui, notamment quand je me rappelle avoir plaisanté, de façon inappropriée, et qu'il a frémi de tout son corps, au point de défaillir et de s'écrouler sur les genoux. En réalité, la raison qui m'avait poussé à plaisanter de la sorte avec lui venait de mon excitation de savoir que Pol Pot libérait Bizot, en dépit des refus de Ta Mok, dont le cœur empli de bassesse ne pouvait plus rien faire désormais.

Également, lorsque je me remémore le cas de *lok* Bizot, j'éprouve moi-même, au-delà de toute limite, les regrets qui le harcèlent de ne pas avoir pu sauver Lay et Son.

Les différents points sur lesquels je souhaite m'étendre à présent ne concernent pas directement *lok* Bizot, ni Lay, ni Son, mais les crimes qui ont été commis par le Parti communiste du Kampuchea (PCK), dont j'ai moi-même été l'un des membres, et dont j'ai appliqué de mon mieux les ordres criminels à M.13.

1. MON FARDEAU

À l'époque où j'ai connu *lok* Bizot, les difficultés que j'accumulais déjà depuis 1964 s'étaient particulièrement alourdies. C'était le poids des feux de l'enfer, que je prenais en ce temps-là pour ceux d'un diamant… Mon fardeau, c'est cette foi totale que j'ai mise dans le PCK, parce que je le considérais comme l'esprit vital du peuple et de la nation khmère. J'ai voué ma vie et mon destin personnel au parti, je lui ai confié le soin de me guider, de m'instruire, sans restriction aucune. J'ai figuré parmi ses partisans les plus convaincus.

2. LA SITUATION EN ZONE LIBÉRÉE À LA FIN DE 1971

a) Le grand désaccord qui nous a opposés aux Nord-Vietnamiens, devenus soudain nos ennemis parce qu'ils saisissaient toutes les occasions de s'emparer de larges portions du territoire khmer pour les administrer à notre place, s'est apaisé à la longue sur le fond. Ils ont résolu de se retirer des régions convoitées, comme Kien Svay, Sa Ang, Koh Thom, Leuk Dek, et de camper uniquement sur nos terres en tant qu'invités.

b) Dans la Région Sud-Ouest, d'importants désaccords de classe sont également apparus entre les hauts responsables :

– Ta Mok s'est opposé dès 1968 à l'influence des cadres intellectuels [dans le parti], et en vingt-quatre heures, quatre d'entre eux se sont retrouvés expulsés de la Région Sud-Ouest *.

– Ta Mok leur a refusé obstinément la moindre responsabilité d'ordre militaire, et il est parvenu à cantonner leur action aux seuls niveaux des villages, des districts et des provinces.

– Ce n'est qu'au milieu de l'année 1971 que Pol Pot a décidé de réunir l'ensemble des cadres intellectuels de la Région pour créer une Zone spéciale. M.13 a pris naissance à cette occasion – le 20 juillet 1971.

3. Réflexions sur la situation

Je souhaite donner mon opinion sur la situation réelle, à la fin de l'année 1971, au cours de ces différentes périodes.

La manière dont le parti s'y est pris pour parvenir à régler la dispute qui nous opposait aux Nord-Vietnamiens a eu pour effet de renforcer sur le coup mon admiration et ma foi.

---

* Khet Pen, alias Sou, professeur d'université ; Kè Kem Huot, alias Mon, professeur d'université ; Chea Houn, alias

J'ai cru, comme l'ensemble des cadres intellectuels, qu'il avait été mis définitivement fin [aux disputes], et que les rivalités qui avaient éclaté au sein du pouvoir, notamment à Sa Ang, Koh Thom, Leuk Dek, Kien Svay, n'auraient plus jamais l'occasion de se reproduire. Qui aurait alors pu croire que Pol Pot et Ta Mok étaient en train de préparer un plan pour tuer tout le monde, et étendre ainsi leur pouvoir dans tous les domaines sur l'ensemble du pays ? Chhay Kim Hor[3] pensait que l'oppression que faisait régner Ta Mok demeurait acceptable et qu'elle allait dans le bon sens. Moi-même j'étais d'accord et pensais la même chose.

Or ces mésententes au niveau national (en ce temps-là, je refusais encore de parler de disputes entre ennemis) aboutissaient de plus en plus, au rebours de toutes les lois, à l'arrestation et à l'emprisonnement des gens. À plusieurs reprises, Von Veth[4] et Chhay Kim Hor sont venus m'expliquer que, face à l'histoire, c'était celui qui ordonnait l'arrestation et l'emprisonnement qui devrait en répondre, sans l'ombre d'un doute. L'ordre venait des membres du comité central, par exemple de Bang Bal (alias Huot Heng), secrétaire de la Zone 32, mais également membre du comité central de longue date. En tout état de cause, il devait être entendu que nous combattions pour libérer la nation, c'est-à-dire pour libérer le peuple et les gens, non pas pour libérer la nation sans les gens.

Van, professeur de lycée ; Oum Chheun, alias Mai, professeur de lycée. Ces quatre personnes ont été écrasées après le 17 avril.

C'est à cause de mon optimisme aveugle concernant le PCK que je n'ai pas su correctement évaluer la situation.

4. LA POSITION DE POL POT VIS-À-VIS DU GOUVERNEMENT FRANÇAIS

Selon mes propres observations et analyses, je pense que Pol Pot ressentait fortement le besoin d'être reconnu par le gouvernement de la France.

Ainsi, avant le 17 avril 1975, parmi les circonstances qui pouvaient influer sur la décision des Français de reconnaître le « Front Uni National du Kampuchea » (FUNK), trois choses [avaient retenu son attention] sur le terrain :

– La détention de François Bizot ;
– L'invitation du journaliste Serge Thion[5] dans certains secteurs de la Zone spéciale ;
– La colère * qu'il éprouvait contre Groslier[6].

------

* J'ignore les raisons de cette colère de Pol Pot pour Groslier. Mais je me souviens qu'à l'occasion d'un séminaire qui avait regroupé les cadres intellectuels de la Zone spéciale, avant le début des discussions, Hou Youn [membre du comité central du PCK, membre du comité politique du FUNK, ministre de l'Intérieur du GRUNK) à envoyé Phok Chhay me demander : « Pourquoi relâcher Bizot ? » J'ai répondu : « Le camarade Pol l'a décidé. » À la suite de cela, dans son allocution préliminaire, Hou Youn n'a pas hésité à traiter Groslier de « voyou ». Il est clair que cette insulte venait du fait que Pol Pot en voulait à Groslier, et que Groslier avait dû faire quelque chose. La relation entre Pol Pot et les Français s'établit finalement de cette manière. En 1990, Pol Pot devint furieux contre la France, il dit : « Attendons seulement que les choses se mettent en place ! (autrement dit, que je partage le pouvoir avec Hun Sen). Je supprimerai l'enseignement du français dans toutes les écoles du Kampuchea. »

Après le 17 avril 1975 (et pour ce dont je me souviens, à l'occasion d'un séminaire politique qui s'est tenu en 1977) :

– Son Sen a donné l'ordre aux troupes cantonnées dans l'ambassade de France, de nettoyer rapidement les lieux, probablement en vue d'une réinstallation diplomatique prochaine [de la France].

– C'est à cette occasion qu'il a fait savoir que dans un journal français (j'ai oublié le nom du journal) la situation cambodgienne était rapportée de façon positive *. Il s'y trouvait indiqué que Phnom-Penh restait calme. Comme je me tenais en face de lui à ce moment-là, je l'ai entendu répéter [l'expression qu'il avait lue] en français : « Un silence majestueux ».

C'est tout cela qui m'amène à penser que Pol Pol comptait sur la France pour ne pas rester seul et pour se protéger des coups qui arrivaient de toutes parts. Ce faisant, il s'était lui-même situé tellement haut que plus personne ne se trouvait en mesure de lui tenir encore la main.

5. L'ARRESTATION CRIMINELLE DE FRANÇOIS BIZOT EST UNE PRISE D'OTAGE POLITIQUE

Penser qu'il s'agit d'une prise d'otage n'est pas une chose que je pouvais formuler à l'époque.

En ce temps-là, je savais seulement que Vat Ô se trouvait dans une zone sous contrôle [des soldats] de Lon Nol et que les miliciens [khmers rouges], qui étaient tombés à cet endroit sur le Français et les deux

---

* Son Sen s'en félicite, car il avait le souci qu'une image élogieuse du PCK soit diffusée dans le monde.

Cambodgiens, relevaient du camarade Rom (le chef de la milice de Ponhea Leu). J'en avais déduit que l'intention de [ces trois individus] n'était pas de s'introduire en zone libérée, sous notre contrôle. Dans ces conditions, je me suis efforcé de les protéger. Aucun d'eux n'était de la CIA et ils n'espionnaient rien du tout. Mais pour être franc, j'ai tout de même pris quelques précautions aussi, en ne réclamant pas tout de suite leur relaxe, comme je l'avais déjà fait à d'autres occasions et que je le referais ensuite.

C'est après que j'ai compris qu'il s'agissait d'une prise d'otage, pour les raisons suivantes :

– Pol Pot savait parfaitement que la conservation d'Angkor n'était pas [un repaire d'espions].

– Pol Pot connaissait l'opinion [plutôt favorable] des Français à son égard [à l'inverse de leur attitude] vis-à-vis de Lon Nol.

– Pol Pot savait mieux que quiconque à quel point il avait besoin des Français pour soutenir sa cause.

Von Veth avait immédiatement informé Pol Pot de l'arrestation des trois personnes de la conservation d'Angkor, dont un Français. [Pol Pot] a tenu à ce qu'elles soient séparément enfermées durant des mois, de façon à les effrayer et à les attrister *. Puis au moment de les libérer, il a finalement décidé, de façon arrogante, de ne relâcher que le Français et de garder les deux Khmers.

Qui peut oser prendre une semblable décision ? Qui peut l'accepter ? Personne. Nul ne saurait être d'accord.

---

* En fait, cette affaire ne dépendait pas de Von Veth seulement, et c'est pour cette raison que je n'ai pas osé demander leur libération sur le coup.

En ordonnant à Chhay Kim Hor de remettre une copie du Programme politique du FUNK ainsi que des photos de propagande à François Bizot, et de lui expliquer ensuite la situation politique, Pol Pot s'est tout simplement compromis [avec les Français].

6. À PROPOS DE LA LIBÉRATION DE FRANÇOIS BIZOT, LAY ET SON, PAR POL POT

Pol Pot a refusé de relâcher Lay et Son. Il a résolu de les laisser avec moi. Cette décision m'a fait sursauter sur l'instant, sans que je puisse rien faire d'autre. D'abord, j'avais peur ; ensuite j'ai vu que Ta Mok préférait « garder la queue basse » devant moi.

Il faut préciser que Ta Mok avait toujours trouvé de bonnes raisons pour s'opposer à la libération de *lok* Bizot. Il disait par exemple : « Nous sommes sur le terrain, nous voyons [les choses] plus clairement [qu'en haut]. » Dans ce cas-là, Von Veth lui répondait d'un mot : « Ce Français-ci, c'est faux ; il n'est pas de la CIA ! » Alors Ta Mok retournait [sa veste] sur-le-champ et me disait : « Relâche-le, camarade Douch ! Relâche-le ! »

C'est au cours de telles discussions que j'ai réalisé que Ta Mok était plus petit que Von Veth.

En 1976 j'ai également compris que chaque décision prise au niveau du Secrétaire général du Parti [*i.e.* Pol Pot] devait être appliquée sans discuter, sans marchander.

Dans l'affaire de *lok* Bizot, il ne s'est jamais produit un seul accord entre moi et ce que voulait Ta Mok. Cela étant, je ne pensais pas que Ta Mok m'en veuille réellement, ou qu'il était en colère, car son comportement pouvait changer très vite. J'ai cru qu'il n'y avait pas fondamentalement d'histoire entre nous.

Revenons à l'affaire de Lay et de Son, quand Pol Pot décide de les garder auprès de moi.

Ce serait faux de supposer que je n'ai pas compris la peine que cela signifiait pour eux de rester séparés de leur femme, séparés de leurs enfants. Il est bien évident que je comprenais cela ! Toutefois, il ne m'était nullement donné de les aider à retrouver leur famille. Selon moi, il n'existait de fait qu'une seule façon [de les aider, en dehors de pouvoir] les libérer : les plaindre, les affectionner, les protéger, les considérer comme des frères, comme des partisans au sein de notre propre groupe. J'avais personnellement l'espoir, et même la conviction, que je parviendrais à les protéger jusqu'au jour où ils retrouveraient les leurs, une fois la patrie libérée. Cette promesse que je faisais à ce moment-là était absolument sincère.

D'autre part, j'ai également éprouvé une grande pitié pour *lok* Bizot, lorsque je l'ai vu partir seul, en laissant Lay et Son avec moi. Ses traits s'en étaient asséchés. [Je me souviens qu']il marchait d'un côté à l'autre, une fois vers Lay, une fois vers Son, une fois les trois ensemble... C'était douloureux à observer, mais je ne pouvais rien y faire.

7. L'ORGANISATION DE M.13 EN 1972

Quelque temps après le départ de *lok* Bizot :
– J'ai déplacé le Bureau 13 à Tuol Svay Meas, sur un versant du mont Pis, de telle manière que l'endroit où nous allions nous installer soit bien

ensoleillé, mais en même temps éloigné de toutes habitations. Il y avait des rizières. Les interrogatoires furent placés sous la responsabilité du camarade Pon, la sécurité sous celle du camarade Meas.

– J'ai laissé Lay et Son à Phum Prek, pour faire la rizière avec le camarade Net.

(Il faut préciser que Net était un habitant de Phum Kok, mais que, suite à un différent avec Ta Mok, il avait voulu venir avec moi. En ce temps-là j'étais plus téméraire. J'ai accepté de le prendre.)

Par la suite :

J'ai suggéré à Von Veth de créer une branche du Bureau 13, réservée pour les gens du peuple qui avaient eu un problème (sans les entraver ni les interroger). Seulement pour les resserrer pendant une courte période avant de les relâcher. Il a accepté. Cette branche prit le nom de M.13b, près de Phum Sdok Srat, commune de Sdok Tol, district de Ang Snuol. Le camarade Soum, ancien Vice-président de M.13 [7], est devenu le Président de M.13b. Puis j'ai chargé le camarade Phal, membre des jeunesses communistes du Kampuchea, d'aller seconder le camarade Soum.

Enfin, j'ai demandé à Von Veth l'autorisation d'envoyer également Lay et Son auprès du camarade Soum, mais il a refusé. Il a considéré qu'il fallait encore les laisser faire la rizière pendant un moment.

8. LA RÉBELLION DE M.13A

Phum Prek est devenu une section de la branche du Bureau 13, appelée M.13a, à Tuol Svay Meas. J'aimais me rendre à cet endroit pour méditer, parfois je parvenais à y apaiser mon âme.

Peu de temps après, Von Veth a pris la décision d'affecter à Phum Prek un groupe de quatre combattants aguerris : Samnang, Cheang, Piseth et Raksmey, tous venus de la Zone 25, derrière leur chef Sien San. Ceci a porté à sept personnes [en comptant Lay et Son] le nombre des forces réunies à cet endroit.

Un jour, vers cinq heures du soir, un des combattants de Tuol Svay Meas est arrivé en courant à Phum Prek pour me dire : « L'ennemi s'est emparé de nos fusils et nous a tiré dessus ! Tous [les prisonniers] se sont évadés ! » J'ai immédiatement ordonné au camarade Samnang d'aller porter secours [aux blessés], puis au camarade Net de monter la garde dans le village. Moi je devais prévenir Von Veth, et je suis allé demander au chef d'Omleang de m'emmener à moto.

Nous sommes arrivés sur place vers sept heures du soir. Il faisait nuit. J'ai prié l'agent du bureau de liaison de m'annoncer. Von Veth m'a dit aussitôt : « Au Sud-Ouest, ils ont ouvert un camp pour les combattants, l'endroit se trouve près de chez toi. T'ont-ils porté secours ? » J'ai répondu « non ». Il s'est fâché : « Camarade, je trouve que tu t'es montré bien léger ! L'ennemi avait un plan et tu ne t'es aperçu de rien ! »

La semaine suivante, je suis parti le voir de nouveau. Il m'a reçu de façon habituelle, son humeur était normale. Le moment semblait opportun pour lui présenter mes excuses et demander la stricte application du règlement, avec la punition correspondante. Von Veth m'a regardé, son visage s'est refermé, puis il s'est tourné, immobile, sans prononcer un mot… Il ne m'a jamais plus reparlé de cette affaire.

[Suite à l'évasion des prisonniers], j'ai abandonné l'endroit de Tuol Svay Meas et tout le monde est revenu à Phum Prek. Aussitôt j'ai pensé que nous resterions là, mais désormais, pour faire seulement la rizière, sans plus jamais changer. Mais qui pouvait ainsi songer ne faire que la rizière ?... Rapidement, d'autres victimes sont arrivées et m'ont été amenées pour que je les interroge...

La vie nous contraint à accomplir des choses que nous n'aimons pas..., on peut rarement éviter de se faire violence.

Cette fois-là, j'ai repensé tout particulièrement au poème « La mort du loup », d'Alfred de Vigny.

9. LE DÉSACCORD ENTRE TA MOK ET MOI

Je suis quelqu'un qui s'efforce naturellement de ne pas écouter les ragots, dont les bruits viennent de toutes parts, mais il est difficile d'éviter de les entendre. Ta Mok était particulièrement doué pour avoir des histoires avec les intellectuels.

Personnellement, je faisais tout pour être le moins possible en contact avec lui, et pourtant je restais dans la ligne de mire de ses yeux, à cause [de l'aide que j'avais imprudemment apportée] au camarade Net. En homme averti, je m'appliquais donc de mon mieux pour ne plus faire d'erreur.

La décision criminelle qu'il a prise ensuite à M.13 dans le cas de Jacques Loiseleur [8], recèle pour moi une vérité cachée : cela montre de façon très claire qu'il m'en voulait toujours beaucoup. Ta Mok m'a averti sur-le-champ : « Ne tente pas cette fois de te faire l'avocat d'un autre Français pour encore demander sa libération !... »

10. LE CRIME SUR LES SEPT PERSONNES DE M.13 À PHUM PREK

En 1973, j'ai revu Von Veth qui rentrait tout juste d'une d'une session d'étude avec les gens d'en haut. Le soir, nous nous sommes assis tous les deux sur le tronc d'un arbre mort couché près de sa maison. Il me demanda des nouvelles de la situation générale, ainsi que des sept personnes affectées aux rizières de Phum Prek. À la fin, il me dit : « Il faut "résoudre" le cas des sept personnes » :

— La prochaine fois, [tu sauras qu'on] ne doit pas se porter garant des personnes qui ont une biographie d'espion, et encore moins les faire entrer dans les rangs du Parti.

— N'oublie pas, camarade, que tu as du sang chinois ! Le parti communiste chinois est certes très puissant, mais parmi les nombreux Chinois [du Cambodge], le seul qui a la confiance du Parti, c'est Ta Hong *, parce qu'on le connaît depuis longtemps.

— En outre, camarade : Ta Mok t'a dénoncé au Comité central. Il ne veut plus de toi ici.

À l'instant même, j'ai ressenti une très grande peur.

Sur le sort des sept personnes, je l'ai supplié en prenant comme excuse que la sœur de Raksmi, qui habitait Ang Snuol, était venue visiter son frère à Phum Prek, accompagnée de son mari (un homme de grand renom, ancien chef de pagode). Toutes ces personnes résidaient depuis longtemps en zone libre.

---

* Ngèt You, alias Hong, a été arrêté et envoyé à S.21 le 13 mars 1978. Cette décision est l'un des premiers signes qui m'a fait craindre pour ma vie.

Si l'on devait maintenant « résoudre » [le cas des sept], cela ne manquerait pas de faire du bruit. Von Veth demeura silencieux un moment, puis décréta ceci : « Considérant que les forces dont tu disposes sont peu nombreuses et composées de gens assez jeunes, laissons donc les combattants de la Région Sud-Ouest en décider eux-mêmes. Je leur en parlerai. »

De ce jour, je n'ai jamais plus essayé de comprendre [quoi que ce soit] ni pourquoi notre Parti avait tout de mêmes ordonné la mort de ces [sept] personnes.

11. À PROPOS DES INTERROGATOIRES

À partir de ce moment, je me suis totalement consacré au service de ma tâche d'interrogateur. Puis, les jours succédant aux jours, je me suis laissé convaincre que [cette décision de] mon transfert avait été suspendue.

Ma première expérience [d'interrogateur] :
Un jour, j'ai dû questionner des gens soupçonnés de dissimuler un stock de fusils volés, sans obtenir le moindre résultat. Mes supérieurs m'avaient pourtant bien assuré que, le cas échéant, ils endossaient eux-mêmes, devant l'histoire, l'entière responsabilité [des supplices] que j'avais l'ordre d'infliger. Aussitôt, je me suis beaucoup reproché d'avoir agi trop timidement, tout en pensant au fond de moi que mon caractère s'accommodait très mal avec ce genre d'office. J'ai longuement réfléchi et retourné cette difficulté dans ma tête.

Ma seconde expérience [d'interrogateur] :

Il m'a fallu une autre fois procéder à l'interrogatoire d'un dénommé Ngèt Sombon, plus connu sous son nom d'écrivain : Rom Pé. Des aveux que je [lui ai alors arrachés], j'ai induit les leçons suivantes :

– Sa confession ne pouvait être vraie qu'à 50 %.

– Les noms des complices ainsi dénoncés (Pol Pot s'y intéressait au plus haut point) semblaient justes à seulement 30 %.

– Le réseau, en zone libre, sur lequel s'appuyaient les agents de son organisation était complètement faux.

Ma théorie sur les interrogatoires :

Je me réfère à Sun Zi, le théoricien militaire chinois, lorsqu'il dit : « Connais-toi et connais ton ennemi clairement. » Parce que j'ai compris cela : l'interrogatoire, c'est un combat qui se joue entre un enquêteur et celui qui doit répondre ; de l'un à l'autre. Chacun cherche le point faible de son adversaire, dans une confrontation où les deux s'opposent.

– De cette façon, on dit que [le genre] d'interrogatoire qu'a subi *lok* Bizot face au camarade Nuon * a pour nom : « Dévoiler ses points faibles » ; l'autre les saisit immédiatement – p. 69, *Le portail*. Le camarade Nuon ne sait même pas encore qui est François Bizot qu'il lui ment déjà et affirme l'avoir vu dans les rues de Prei Nokor (Saigon). Il n'y avait pas à prononcer un mot de plus pour persuader le suspect que son interrogateur ne savait rien de tout.

---

* Nuon, de son premier nom Prasat, est le frère cadet de Ta Prasith, alias Chong. Nuon a été formé à Hanoï de 1954 à 1970. Lorsqu'il a rencontré François Bizot, c'est lui qui commandait les troupes de la Région Sud-Ouest.

Qu'il me soit permis de rappeler les deux points que j'enseignais aux camarades chargés d'interroger [les prisonniers] :

– Avant de poser une question, il faut la préparer en détail (ERN 0 007 468).

– Concernant la personne qu'on questionne et qui devine nos intentions. Si l'on sait déjà ce qu'on veut qu'un suspect nous réponde, sa réponse sera toujours assortie à la demande. C'est le plus grand défaut des interrogateurs et précisément l'erreur qu'il convient d'éviter (ERN 00 007 467).

L'interrogatoire.

Aussi nécessaire soit-il, [l'interrogatoire] n'est qu'une petite partie du travail de police. Les aveux que l'on obtient ainsi ne parviennent pas à dépasser plus de 20 ou 30 % de la vérité. Le PCK savait cela. Aussi les confessions étaient ordinairement reçues puis évaluées en fonction de cette idée : « Avant de couper les bambous, il faut d'abord défricher les épines. »

La multitude des crimes de toutes sortes commis contre l'humanité par le PCK, à l'encontre du peuple cambodgien, a réellement commencé en 1970. C'est dans ce cadre que l'action de M.13 a trouvé sa place, à partir du 20 juillet 1971. En tant qu'[ancien] président de M.13, j'endosse sincèrement l'entière responsabilité de tous les crimes qu'on y a perpétrés, et pour lesquels j'éprouve les plus douloureux remords.

« Au même moment, je ressentis fortement ma culpabilité envers mes deux compagnons, prenant tout à coup conscience que je devrais aussi rassurer leurs familles, les soutenir... » *Le portail*, p. 199

CONCLUSION

Les paroles ci-dessus ont une grande force ; elles m'ont fait réaliser et prendre conscience que, dans le passé, je n'avais pas pris toute la dimension de l'état de douleur chronique dont *lok* Bizot se trouvait déjà profondément affecté.

Que Dieu pardonne à son enfant, cet enfant qui n'a pas su mesurer la souffrance de sa victime, François Bizot !

Que Dieu ait pitié, accorde sa protection, et donne la prospérité à *lok* Bizot !

Que Dieu ait pitié des âmes de Lay et Son, qu'il pardonne à *lok* Bizot, qu'il pardonne à son enfant, dans sa miséricorde.

Je t'ai fait connaître mon péché,
Je n'ai point caché mon iniquité ;
J'ai dit : « Je veux confesser à Yahweh mes
[transgressions. »
Et toi, tu as remis l'iniquité de mon péché.

Psaume 32, 5

SECONDE ANNEXE

Le texte présenté ici reproduit la transcription de ma déposition devant les Chambres extraordinaires au sein des Tribunaux cambodgiens, les 8 et 9 avril 2009, à Phnom-Penh. Il reprend également les moments les plus significatifs de mes échanges, au cours des deux mêmes journées, avec les procureurs, juges et avocats, tant des parties civiles que de l'accusé. *

---

* Pour une retranscription intégrale, consulter le site www.versilio/slog/francoisbizot.com

Déposition de M. François Bizot,
Témoin de la Chambre n° 1 (8-9 avril 2009)

LE PRÉSIDENT — L'audience est ouverte. [...] Je demande à l'huissier de bien vouloir faire entrer le témoin dans la salle d'audience. [...] Monsieur François Bizot, pouvez-vous décrire ce que vous avez vu au Camp de sécurité M.13, et cela durant votre détention, jusqu'à votre libération et votre retour à Phnom-Penh.

LE TÉMOIN — Certainement, Monsieur le Président. [...] J'ai été amené dans le cadre de mes recherches sur le bouddhisme cambodgien à aller dans la région d'Oudong, après avoir été chassé de la Conservation et du parc d'Angkor où je résidais et où je travaillais, par l'invasion nord-vietnamienne. J'ai poursuivi mon travail de recherche dans la Province de Kandal. Le 10 octobre 1971, je suis parti au nord d'Oudong pour me rendre au monastère de Vat Ô, à proximité du village de Tuol Tophi. J'étais dans la voiture de service de l'École française

179

d'Extrême-Orient, avec ma fille Hélène qui était âgée d'un peu moins de trois ans, les deux collaborateurs dont j'ai mentionné les noms, et accompagné de deux ou trois personnes du village qui m'indiquaient la route. Arrivés à Vat Ô, nous avons été reçus par le Vénérable supérieur, et je me suis rendu compte que les choses n'allaient pas du tout comme il était prévu que ça se passe ; le Supérieur était très nerveux. Et c'est là que je me suis rendu compte qu'une embuscade nous avait été tendue, ou qu'une patrouille de miliciens était malencontrueusement tombée sur nous. J'ai été aussitôt appréhendé, mes deux collaborateurs ont été ligotés, les bras dans le dos. Moi, je me suis débattu, j'ai refusé qu'on m'attache et j'ai été emmené, à ma demande – bien illusoire – pour rencontrer un responsable, au village de Tuol Tophi. Nous y sommes restés à peu près deux heures. Au cours de ces deux heures, j'ai été interrogé par un responsable, qui a écouté ce que j'avais à dire, notamment que je venais dans ce monastère pour y étudier les rituels du bouddhisme cambodgien, et à la fin de mes explications, il en a déduit que j'étais un agent de la CIA et il me l'a dit. Mes aisselles ont été fouillées, pour y découvrir peut-être un micro ? Je ne sais pas. Ensuite, mes deux camarades ont été emmenés de leur côté, et moi j'ai été ligoté et aussitôt dirigé, le long d'une piste de campagne, sous la surveillance de deux jeunes gardes, dont l'un tenait le fusil.

J'ai passé la première nuit, dans une sorte de salle à proximité de quelques habitations, et ensuite je suis arrivé le lendemain matin à un village que je n'ai pas identifié. Mes deux compagnons s'y trouvaient déjà, à l'étage d'une maison où était disposé un carcan massif en bois, un « *knoh* », entre les poutres duquel leurs jambes avaient été bloquées, dans des ouvertures en demi-lune. J'ai pris place à côté d'eux, allongé sur le dos dans la même position. Quelque temps après on est venu me chercher pour me juger devant un tribunal composé d'un Khmer kraum, reconnaissable à son accent et faisant office de juge, entouré de deux greffiers qui notaient ce que je disais. Autour de nous se tenaient une cinquantaine de villageois. Accoudé à une table dressée sur une estrade, l'inquisiteur m'a affirmé qu'il me connaissait, qu'il m'avait vu à Saigon, et que les valets de l'impérialisme américain avaient besoin de gens comme moi, qui parlaient la langue khmère, pour aller payer les combattants à la solde des Américains, parce qu'ils n'avaient pas confiance en leurs propres soldats. J'ai évidemment nié cette accusation qui n'avait aucun sens pour moi, ajoutant que s'il était sûr de cela il n'avait qu'à me tuer sans attendre. Ma remarque a aussitôt provoqué les applaudissements du public derrière moi. Ensuite, vous me permettrez d'abréger un peu, d'autant plus que je ne me souviens plus très bien du détail, mais le juge a dit qu'il y avait donc contradictions entre ce que l'Angkar savait et ce que moi je venais de répondre. Je devais donc être considéré comme quelqu'un qui était dans la position d'être accusé de quelque chose qu'il ne reconnaissait pas. Sur-le-champ, j'ai été remis au carcan. Un repas nous fut servi. Puis, après avoir entendu des clameurs autour de la maison qui disaient : « Qu'attendez-vous pour le déshabiller et pour le tuer ? », des Khmers rouges sont montés, m'ont emmené seul, m'ont bandé les yeux, et j'ai été conduit pour être exécuté.

Je ne saurai jamais s'il s'est agi d'un simulacre ou d'un ordre qui n'a pas été mené à son terme. Quoi qu'il en soit, je suis resté en vie et j'ai été poussé sur un chemin qui devait me conduire, de relais en relais, à M.13, le lendemain matin. Il s'avère que Lay et Son étaient déjà là ou sont arrivés peu de temps après moi. Je n'ai pas eu tout de suite une vue d'ensemble du camp, et j'ai été accueilli par un responsable qui s'est montré immédiatement cynique et agressif. Il a donné les ordres nécessaires pour que l'une de mes chevilles soit prise dans un étrier à l'extrémité d'une barre collective à laquelle se trouvaient déjà entravés une quinzaine ou une vingtaine de détenus. Ceux-ci m'ont fait de la place, et j'ai été effrayé non seulement par le principe de l'attache mais aussi par la situation que j'allais occuper en bout de tringle. Ayant une ossature assez épaisse, il s'est trouvé que ma cheville n'est pas entrée dans l'étrier. Le responsable a donné l'ordre qu'on cherche un étrier plus grand qui me convienne.

Là-dessus est arrivé un jeune homme, dont je n'avais pas tout de suite remarqué la présence, juste au moment où j'étais en train de réclamer l'autorisation d'aller me laver dans la rivière. J'avais marché pendant deux jours et deux nuits sur une terre gréseuse, lavée par les pluies, et j'étais couvert de boue. C'est sur cet entre-fait, alors que j'insistais pour aller me nettoyer, que le jeune homme qui s'était approché est intervenu pour m'y autoriser. J'ai alors compris que le responsable du camp n'était pas l'homme agressif qui m'avait accueilli, mais que celui-ci avait un chef, capable de le contredire – excusez-moi monsieur le Président j'ai oublié de préciser que les prisonniers n'étaient en aucun cas autorisés à se baigner. Je suis donc allé me laver. En revenant, le problème des étriers n'étant pas réglé, le jeune homme a lui-même donné l'ordre qu'on me mette dans un endroit séparé, en dehors du périmètre des trois baraques réservées aux prisonniers – peut-être une quarantaine, entre quarante et cinquante. J'ai été conduit à un abri, dont le bâti en bambou était destiné à recevoir les trois ou quatre sacs de paddy que les villageois des environs apportaient au camp chaque semaine à l'aide d'une charrette. L'endroit était donc occupé par les sacs qui s'y trouvaient déjà. J'ai été enchaîné par le pied sous cette sorte d'auvent, et je me souviens que la pluie s'est mise à tomber. Le soir est arrivé, un repas me fut servi par un des jeunes gardes qui est arrivé en sautant entre les flaques d'eau. C'était ma première nuit dans le camp, je me suis vite endormi.

Le lendemain, j'ai fait plus ample connaissance avec celui que j'avais perçu comme le responsable du camp, et dont j'avais appris des gardiens que le nom était Douch. Eux-mêmes parlaient de lui en l'appelant Ta Douch. Il a pris la décision de mener lui-même les interrogatoires. Il m'a dit qu'il y avait des charges contre moi, qui étaient très graves, et j'ai eu à écrire ma première déclaration d'innocence. J'ai écrit un certain nombre de déclarations d'innocence sur des feuilles de papier qu'il me fournissait lui-même, avec beaucoup d'émotion chaque fois, parce que je pensais que cela ferait partie des choses que je laisserais derrière moi, et probablement les dernières.

L'ambiance du camp apparaissait très vite comme celle d'un lieu dont on ne sortait pas vivant. Les jeunes gardiens dont dépendait chaque instant de mon existence quotidienne parlaient entre eux, avec la puérilité de leur âge et aussi leur côté pervers, et il était assez facile de savoir de quoi il s'agissait et ce que je devais attendre, comme mes congénères.

Cela étant, les interrogatoires s'enchaînèrent tous les jours, entre le responsable et moi. Il avait vingt-sept ans, j'en avais trente. Sous le feu de ses questions, quoique toujours posées avec une certaine amabilité je dois dire, et à cause de la colère permanente d'être pris pour ce que je n'étais pas, de cette injustice qui consistait à me prendre pour un espion de la CIA, alors que ces choses-là étaient si éloignées de mon esprit, j'ai été amené à me rebeller et à lui poser moi-même des questions en retour ; et ceci a duré des semaines et des semaines. Il est bien évident qu'à ce rythme-là, une certaine habitude fut prise entre nous, qui n'a pas été sans tisser des liens d'une relation régulière. Douch devait, si je me souviens bien, au moins toutes les semaines, rendre compte et faire des rapports. On le voyait écrire très tard le soir ou très tôt le matin. Sa réputation était celle d'un travailleur infatigable, qui parlait peu, très investi dans ses responsabilités de chef de camp. Les interrogatoires me concernant se sont toujours déroulés de manière polie et je n'ai jamais été battu.

Je pense que Douch avait considéré que si j'étais un agent de la CIA, dans tous les cas, la meilleure façon d'obtenir de moi la vérité ne serait probablement pas de me frapper, mais d'engager une discussion avec moi, et le moyen de me percer fut de me poser des questions sur mon travail, sur mes activités à la Conservation d'Angkor, sur le bouddhisme cambodgien qu'il connaissait moins bien que moi, et j'étais sollicité par lui de donner le maximum de précisions, dans un but, me semble-t-il, qui était de vérifier si j'avais effectivement le profil d'un chercheur ou les compétences auxquelles je me référais pour travailler sur l'histoire, les inscriptions et les textes cambodgiens.

J'ai demandé à Douch de pouvoir bénéficier d'un cahier, qu'il m'a ramené un jour, avec un Bic et une lame de rasoir. J'avais très envie de me raser. Ce cahier, monsieur le Président, je l'ai conservé. Je peux peut-être vous en montrer tout de suite la couverture et quelques pages [1]. [...] Je souhaite seulement montrer cette pièce, le cahier qui m'a été rapporté par Douch, que j'ai rempli, où j'ai consigné des souvenirs d'enfance, et quelques poèmes... J'ai tenté d'y écrire également une problématique capable d'être persuasive, concernant mes recherches sur le bouddhisme, de montrer que j'étais effectivement un chercheur. Plus tard, quand il s'est avéré que j'allais être libéré, j'ai demandé à Douch si c'était possible que je garde ce cahier avec moi, et il a tenu à l'examiner lui-même avant d'en décider. Il l'a lu, je pense avec beaucoup de soin, m'a demandé quelques précisions entre-temps, puis me l'a remis. Donc, il est toujours là. Je dois dire que ce cahier, que j'ai donc ramené avec moi, je ne l'ai moi-même jamais relu.

Douch revenait, comme je l'ai dit, au moins une fois par semaine, du village ou de l'endroit où il semblait devoir se rendre. Il était frappant de voir à quel point Douch était en mauvaise santé, comme la plupart d'entre nous. Je ne devrais pas dire d'entre nous

185

puisque le hasard a voulu que je ne sois jamais malade, au point que j'en étais gêné. Lorsqu'on me posait des questions sur l'état de ma santé je m'inventais quelques maux de tête pour ne pas éveiller de jalousie. Nous étions aux mois d'octobre, novembre, décembre, et comme vous le savez monsieur le Président, c'est la période du paludisme, et les ravages du paludisme dans le camp ont fait de nombreux morts. Ceux qui ne mouraient pas étaient à cause de cela dans un grand état de fatigue. Un jour Douch m'a dit qu'il allait partir le lendemain et qu'il aurait peut-être de bonnes nouvelles à me communiquer à son retour. J'étais donc dans une grande impatience qu'il revienne, et c'est à la suite de ce retour qu'il a été en mesure de me faire savoir que je pourrais retrouver ma famille. Quand j'ai appris cette nouvelle, à laquelle je n'ai pas cru sur le coup – il faut savoir monsieur le Président que rien n'était dit ; le mensonge était l'oxygène que nous respirions, et nous expulsions tous cet oxygène vicié de notre poitrine. Le mensonge était présent aussi bien quand on conduisait quelqu'un à la mort : on ne lui disait jamais ; c'était nié jusqu'au dernier moment. Aussi, cette promesse de liberté, j'avais bien du mal à y croire. Comme je l'avais fait remarquer, je ne pourrais jamais apporter de preuve de ma non-culpabilité et Douch lui-même n'en aurait jamais sur ma culpabilité. Et ça, j'étais au moins le seul à le croire. Cela étant, l'espoir ne quitte jamais le prisonnier. Et en même temps j'avais déjà compris que ma vie dépendait de lui, que mon existence était entre ses mains ; pas seulement des miennes.

Donc lorsqu'il m'a dit que j'allais être libéré, cela s'est révélé être une nouvelle que je n'ai pas reçue avec la joie qu'on pouvait escompter, et ma réponse, mon attitude a été de dire : « Alors prouve-le ! Enlève-moi mes chaînes ! » Ces chaînes qui étaient si pénibles. Douch a donné les indications sur-le-champ aux jeunes gardiens pour qu'on m'enlève mes chaînes. Puis j'ai tout de suite dit : « Si je suis libéré, je suis innocent. Et si je suis innocent, les deux Khmers qui sont avec moi le sont aussi, alors libère-les ! » Douch a donné les ordres aux jeunes gardes pour que mes deux compagnons soient détachés. Je les ai donc retrouvés après trois mois. Inutile de vous dire l'importance de ce moment de retrouvailles, que nous n'avons d'ailleurs pas du tout manifesté, mais on s'est revu, en parlant peu, mais on s'est revu sur-le-champ. Cela commençait à être pour moi une raison plus forte d'espérer. Pour Lay et pour Son, absolument pas. Eux considéraient que c'était une manière de faire avaler la pilule. Et, pas un d'entre eux, pas un de mes codétenus, n'a cru en me voyant partir que je serais libéré. Tous ont pensé secrètement que le chemin qu'on allait me faire prendre était aussi celui que mes prédécesseurs avaient suivi.

Je devais donc être libéré pour le jour de Noël. À cause d'une histoire stupide de vélo qui avait été emprunté par un gardien et qui ne l'avait pas ramené à temps, ma libération fut reportée au lendemain. Évidemment, ce décalage par rapport au programme prévu m'a mis dans une grande confusion. Mais quoi qu'il en soit c'était le soir de Noël, et ce fut l'occasion, puisque j'étais libre, de passer ma première nuit sans chaîne, mais aussi de mieux connaître, disons avec un regard différent, ou de voir différemment, quelqu'un qui allait aussi avoir une attitude différente avec moi, puisque j'étais dans une situation, presque... non plus intermédiaire même, puisque j'étais en voie de libération. Et, autour d'un feu que souvent les gardiens allumaient le soir, parce qu'il faisait froid – et je dois dire que le froid, en cette période de l'année, dans la forêt des Caradamomes était particulièrement vif, les nuits glaciales, j'ai bénéficié au cours des nuits les plus difficiles d'une bûche que les gardiens m'apportaient pour que le sol sur lequel je dormais soit moins froid.

Donc je me suis approché du feu où Douch devait se trouver, j'ai oublié le détail, et ce fut l'occasion de parler. On a parlé plus librement, de nos familles, mais Douch autant que je le sache n'en avait pas, en dehors de ses parents, je veux dire qu'il n'était pas lui-même chef de famille, il n'avait pas d'enfant à l'époque. Et Douch était aussi attentif à savoir ce qu'était devenue Hélène, ma petite fille qui m'avait accompagné dans la voiture et qui était restée au dernier village, avant Vat Ô, avec une des jeunes filles venues aussi avec nous. Et j'avoue que cette circonstance a été à l'origine de la souffrance constante que j'ai ressentie pendant toute ma détention de ne pas savoir où elle pouvait se trouver et ce qu'elle était devenue. Douch a essayé de me rassurer sur ce point.

J'avais eu, quelques jours auparavant, en deux circonstances, l'occasion de m'interroger sur les moyens dont disposait le camp pour faire parler les prisonniers. Car j'avais compris, toujours sans que... en interprétant des signes et des messages, essentiellement en provenance des gardiens – lesquels, en dépit des ordres qu'ils avaient reçus, m'ont d'ailleurs pratiquement tout dit : j'ai su que nous n'étions pas loin d'Omleang, ils en parlaient entre eux –, j'ai compris que les prisonniers étaient frappés. L'autorisation de me laver le premier jour a été reconduite et il fut acquis que je sois en mesure de prendre un bain tous les soirs. À l'occasion d'une de ces baignades, dans une rivière qui n'avait pas plus de trente centimètres de profondeur mais quoi qu'il en soit c'était une rivière d'eau claire, j'ai été amené à gravir la berge opposée, sur quelques dizaines de mètres, et j'ai vu une cabane dont je me suis approché. J'ai observé qu'elle abritait une barre horizontale en bambou assez épais, munie d'anneaux de rotin coulissants, manifestement destinés à maintenir quelqu'un par les poignets. Je suis vite revenu sur mes pas mais j'ai gardé ce souvenir-là.

Et un autre souvenir, en revenant de mon bain toujours. C'était pour moi la seule occasion d'avoir une vue sur le camp différente de celle que m'autorisait seulement la longueur de ma chaîne. Je suis tombé sur un des prisonniers apparemment détenu depuis suffisamment longtemps pour être autorisé à circuler dans le camp tout en partageant le sort des autres. Il était en train d'affûter une baguette de rotin. En passant près de lui, je lui ai lancé : « Hé, camarade ! Qui c'est que tu vas frapper à l'aide de cette verge ? » Le malheureux m'a regardé en s'écriant que ce n'était pas lui qui frappait. C'était en fait une boutade de ma part, car j'étais loin d'imaginer qu'il était effectivement occupé à façonner une verge.

C'est donc sans réelle certitude, en m'appuyant sur une série de déductions, que le soir de Noël j'ai demandé à Douch : « Mais qui c'est qui frappe ? » Douch n'a pas hésité à me répondre que cela lui arrivait de frapper les prisonniers, dans la mesure où ils mentaient, et quand leurs dépositions étaient contradictoires. Que le mensonge l'insupportait. Que ce travail le... je ne me souviens pas des termes exacts mais peut-être que ce travail le faisait vomir. Mais que c'était de sa responsabilité, c'était ce que l'Angkar attendait de lui. Ce travail correspondait à ses fonctions. J'ai été effrayé. Et je pense que cet épisode fut un événement fondamental, à l'origine d'un long travail qui a eu lieu en moi...

Je peux dire monsieur le Président que j'étais jusque-là assez rassuré. Je considérais que j'étais du bon côté de l'humanité et qu'il existait des monstres auxquels, Dieu merci, je ne pourrais jamais ressembler, qu'il y avait une différence d'histoire, de sensibilité, qu'il s'agissait d'un état de nature, que tout le monde ne pouvait pas l'être. Que certains naissaient comme cela, et que d'autres ne le seraient jamais. Je dois dire que la réponse de Douch, mise en relation avec ce que j'avais pu percevoir de lui au fil des interrogatoires, m'a fait tomber les écailles des yeux. Ce soir de Noël, alors que je m'attendais, quand il m'a dit cela, à découvrir un monstre, « inhumain » comme nous avons l'habitude de le dire, je me suis rendu compte que c'était infiniment plus tragique, infiniment plus effrayant, et que j'avais en face de moi un homme qui ressemblait à beaucoup des amis que j'avais. Un marxiste, communiste marxiste, qui était prêt à donner sa vie s'il le fallait pour son pays, pour la révolution, en laquelle il croyait. Le but ultime de cet engagement était le bien-être des habitants du Cambodge, une lutte contre l'injustice, et, même s'il y avait bien des facilités à travers les clichés qui étaient employés pour décrire le paysan khmer, dont la révolution cambodgienne communiste s'abreuvait, ce paysan khmer, qui était dépeint sous les traits d'un archétype qui avait été créé de toutes pièces, même s'il y avait donc une naïveté diabolique dans cet archétype, il y avait une sincérité fondamentale, de sa part comme probablement chez beaucoup de révolutionnaires – et j'avais moi-même à cette époque à Paris des amis qui étaient parfaitement engagés dans cette révolution communiste et qui regardaient d'ailleurs ce qui se passait au Cambodge avec un œil qui me révoltait, mais qui était aussi justifié à leurs yeux par une fin qui sanctifiait les moyens. Cette fin qui sanctifie les moyens étant l'indépendance du Cambodge, son droit à l'autodétermination, et puis la fin de la misère, enfin les rêves, mais les Cambodgiens n'ont pas été les premiers dans l'histoire des hommes à tuer pour faire vivre des rêves.

J'ai donc vu, pour la première fois, derrière le masque que portait le monstre en face de moi. Il était chargé d'interroger aussi les prisonniers, c'était sa fonction. Je n'ai pas tout vu, loin s'en faut, mais je ne peux déposer qu'en fonction de ce que j'ai compris et des souvenirs que j'en ai. Son travail était donc de dresser des rapports sur les personnes qui lui étaient envoyées pour être exécutées. J'ai réalisé dès lors, que le monstre en question avait des caractères humains qui étaient bien dérangeants et bien effrayants, et que dès lors je n'étais plus moi-même à l'abri, que nous n'étions plus à l'abri. Et que le pire serait certainement de faire de ces monstres des gens à part. C'était donc beaucoup plus compliqué que ça.

Je n'ai pas tout formulé comme cela à l'époque. Mais c'est cette rencontre, cette épreuve de laquelle je ne pensais pas sortir vivant, qui a été à l'origine d'une sorte de mijotage à feu doux, et qui, le jour où j'ai appris que Douch demeurait en vie, a resurgi. Car j'ai pensé que s'il y avait une chose à dire, c'était que… – d'autant plus qu'entre-temps l'horreur des crimes de Tuol Sleng s'ajoutait à la gravité des faits de M.13 – c'est ainsi que s'il y avait une chose à dire c'était que j'avais rencontré un jeune homme, à l'époque où il était un révolutionnaire en herbe, qui avait reçu progressivement, sous le regard des siens, une mission, qu'il s'en était acquitté de manière effrayante mais avec un grand sérieux, toujours dans le but d'accomplir sa fonction, et que dès lors il était bon de faire savoir qu'un tel danger n'était pas le fait d'un être à part mais provenait d'un homme qui ressemblait aux autres.

Je crains d'avoir aussi compris que la situation dans laquelle Douch se trouvait ne lui permettait pas de faire marche arrière. Pas seulement par crainte de mourir – ce qui n'aurait pas manqué – mais simplement parce que sous le regard des autres, par rapport aux engagements qu'on a pris quand on rentre dans le maquis, on est dans un groupe, on est dans une famille, et c'est certainement extrêmement difficile d'en sortir. Le piège s'est refermé sur lui. C'est cela aujourd'hui qui continue à me faire trembler monsieur le Président. J'ai terminé ma déposition.

LE PRÉSIDENT — Afin de poursuivre, je voudrais demander maintenant aux Juges s'ils souhaitent poser des questions au témoin. Monsieur le Juge Lavergne ?

LE JUGE LAVERGNE — Merci pour votre témoignage. Je vais essayer de vous poser un certain nombre de questions pour préciser sa portée. Tout d'abord concernant les faits et le camp lui-même. Vous avez indiqué que, à votre avis, il y avait environ entre quarante et cinquante détenus. Est-ce que vous avez relevé si ces détenus venaient d'une catégorie particulière de la population cambodgienne, est-ce qu'il s'agissait plutôt de prisonniers de guerre, de gens de la campagne, de gens des villes ? Est-ce qu'il y avait beaucoup de changement dans cette population, est-ce qu'il y avait des arrivages, même si le terme n'est pas très élégant, est-ce qu'il y avait des nouveaux arrivés ?

LE TÉMOIN — Oui, effectivement, je pense que c'est autour de cinquante personnes. En tout cas au moment où j'y étais et je n'y suis resté que trois mois. Ce que j'ai pu voir de ce point de vue, m'a fait comprendre qu'il s'agissait beaucoup plus de paysans, qui habitaient des régions sous contrôle des Khmers rouges. Les arrivages, enfin... pour reprendre votre terme monsieur le Juge, excusez-moi, donc les... les arrivées de nouveaux prisonniers la plupart du temps étaient des prisonniers qui venaient seuls, ou accompagnés, éventuellement, comme je me souviens de cet homme qui était venu avec sa petite fille, ou qui arrivaient par deux ou trois, et ceux-là venaient probalement des mêmes zones. Le problème se situait je pense sur la partie frontalière entre les territoires contrôlés par les Khmers rouges, de cette région militaire Sud-Ouest qui formait vraiment un bastion, et puis les zones qui étaient en contact avec les régions dites contrôlées par les gouvernementaux. Il semblerait que M.13 était déjà, sans en être sûr, mais, orienté comme un centre de police lié au contre-espionnage, en tout cas le gros des prisonniers semblait être représenté presque toujours par des gens qui avaient été trouvés dans une zone où ils n'étaient pas connus, sans qu'ils puissent donner d'explication sur leur présence. Et donc beaucoup de gens qui faisaient un peu de trafic entre les deux zones ont pu tomber sous la définition d'espion. D'autre part, j'ai été témoin de l'arrivée de militaires, au moment où la nuit tombait sur le camp, ils étaient pieds nus, au nombre de vingt ou trente, et leur venue avait mis le camp en émoi parce que rien n'était prévu pour les accueillir. Leur destination avait été improvisée ou mal orientée. Ils ont passé seulement la nuit à M.13 et je pense que l'endroit n'était pas prévu pour recevoir les prisonniers de guerre.

Le Juge Lavergne — Vous nous avez exposé la situation qui vous avait été réservée, j'aimerais que vous nous donniez un peu plus de détails sur la situation de vos autres… congénères, pour reprendre l'expression que vous avez vous-même utilisée. Vous avez dit qu'ils étaient entravés, qu'ils avaient les pieds dans des étriers. Est-ce que vous pouvez nous dire quelles étaient les conditions d'hygiène dans lesquelles ils pouvaient vivre ? Comment ils pouvaient satisfaire leurs besoins naturels, s'ils avaient la possibilité d'effectuer une toilette ? Est-ce qu'ils avaient également de quoi se nourrir ?

LE TÉMOIN — Tous les prisonniers, sauf quelques rares exceptions, demeuraient entravés à une barre commune, sur laquelle coulissaient des pièces de fer coudées, en forme de fer à cheval, qui prenaient la cheville. Chacun des trois baraquements, dont le plancher s'élevait à quatre-vingts centimètres au-dessus du sol, pouvait recevoir une vingtaine de prisonniers environ, peut-être trente. L'un d'eux semblait plutôt réservé aux malades, mais les deux autres étaient pleins. En ce qui concernait l'hygiène, il n'y avait aucune possibilité de se laver, en dehors de celle, quand il pleuvait comme c'était souvent le cas, de s'asperger d'eau de pluie à l'aide des récipients qui offraient le moyen d'uriner sans déranger tout le monde. Il s'agissait de larges tubes, taillés dans une espèce de bambou géant de la forêt cambodgienne, sur le modèle de ceux qu'on utilise pour récolter le sucre de palme, accrochés aux extrémités des baraques. Pour s'alléger le ventre, c'était un autre problème. Les prisonniers évoquaient avec épouvante l'expérience que représentait l'aventure de se rendre aux feuillées. Il s'agissait d'un trou, empli de matières fécales, éclaircies par les coulées de boue, à l'aplomb duquel le prisonnier devait se tenir, un pied sur chacune des planches glissantes placées en travers d'une ouverture qui faisait peut-être un mètre cinquante de large. La crainte d'y tomber épouvantait tout le monde, d'autant plus je crois que le fait s'était produit.

LE JUGE LAVERGNE — La nourriture. Qu'est-ce que vous nous en dites ?

LE TÉMOIN — Le repas était distribué deux fois par jour. Il était composé d'une platée de riz, succulent, pilé le matin même par quelques-uns des prisonniers, deux si j'ai bonne mémoire, qui bénéficiaient de ne pas être entravés tout le temps, et prélevé sur la provision que les paysans du village voisin, Thmâr Kok, nous apportaient. Ce riz était succulent, je le répète, en tout cas c'est le souvenir que j'en ai, et j'ignore si c'est la faim ou vraiment la qualité du riz qui me faisait penser cela, mais c'était la seule chose. Le riz était à volonté, ou en tout cas l'assiette était pleine, mais il n'y avait rien d'autre.

LE JUGE LAVERGNE — C'était le même régime alimentaire pour tous les détenus, ou vous pensez avoir eu un traitement de faveur ?

LE TÉMOIN — J'allais le rajouter monsieur le Juge. J'ai bénéficié d'un traitement de faveur, si j'ai bonne mémoire, à partir du moment où Douch a considéré que je n'étais pas coupable des accusations qui étaient portées contre moi. Et pour que je reste en bonne santé, j'ai eu la possibilité de partager la soupe des gardiens. En dehors de mon cas, le régime des prisonniers était le même pour tout le monde. Je précise que le régime des gardiens était un repas extrêmement frugal.

LE JUGE LAVERGNE — Considérant les différentes catégories de détenus. Vous avez parlé de détenus qui étaient enchaînés, entravés, et vous avez parlé de détenus travaillant, qui n'avaient pas de chaînes. Est-ce que c'était un régime de jour, est-ce que le régime de nuit était le même, est-ce qu'ils avaient des entraves la nuit, est-ce que ces détenus désenchaînés étaient nombreux ou pas ?

LE TÉMOIN — Ils n'étaient pas nombreux, ils étaient employés aux cuisines. Pour autant que je puisse me rappeler de ces détails-là, je ne peux pas répondre aux précisions que vous demandez, à savoir s'ils étaient entravés la nuit alors qu'ils ne l'étaient pas le jour. J'aurais tendance à penser que non, mais je n'en suis pas sûr. L'un d'eux d'ailleurs s'est sauvé quand j'y étais. Et cela avait mis les gardiens en émoi. Une partie d'entre eux avait couru à sa poursuite et était revenue en affirmant qu'il avait été rattrapé et tué sur place. Je ne sais pas si c'est vrai. Mais ce travailleur, que je voyais piler le riz tous les matins, et qui souvent m'apportait lui-même ma pitance, était quelqu'un de très silencieux, et je crois que nous avons tous rêvé à son évasion, en nous imaginant à sa place. Il y avait ainsi plusieurs personnes qui se déplaçaient effectivement dans le camp, mais j'ai toujours compris qu'il s'agissait de prisonniers qui étaient là depuis longtemps, et qui avaient en quelque sorte gagné le droit, en raison de leur travail, leur fidélité aux conditions imposées, de ne plus être enchaînés.

LE JUGE LAVERGNE — Vous avez parlé tout à l'heure des gardiens, de leur comportement puéril, de leur très jeune âge. Est-ce que vous pouvez nous donner plus de détails concernant donc la situation de ces gardiens, c'étaient tous des enfants, il y avait des adultes, une hiérarchie ?

LE TÉMOIN — Je ne sais pas s'il y avait directement une hiérarchie entre les gardiens, je ne le crois pas. En revanche, ils avaient bien des supérieurs, dont l'adjoint, si l'on peut dire comme ça, de Douch, qui était le plus âgé du camp, et d'autres responsables moins âgés que j'ai vu apparaître sans me souvenir beaucoup d'eux, en particulier un jeune homme qui est venu à plusieurs reprises et organisait la discussion autour des confessions, le soir entre les jeunes gardiens ; des séances d'endoctrinement, d'une certaine manière. Par contre entre eux il y avait beaucoup de chamailleries. C'étaient des bons gamins de la campagne, ils venaient des villages environnants, pour plusieurs j'en suis certain puisque j'ai été autorisé, je me souviens, pour la préparation du dîner d'adieu que j'ai mentionné au début de ma déposition, à accompagner l'un d'entre eux jusqu'à…, ce n'était pas vraiment un village mais des maisons séparées, en pleine forêt claire, enfin bon…, jusqu'à la maison de sa mère, pour commander et payer les treize poulets nécessaires, selon mon estimation. Les gardiens étaient ainsi de jeunes garçons du coin. D'une certaine manière, ils bénéficiaient, ne serait-ce que dans le traitement de leur nourriture, et aussi j'imagine, dans l'esprit de leurs chefs, de cette protection du peuple acquis à la révolution, lequel acceptait que ses propres enfants se joignent aux révolutionnaires. Ça les protégeait d'une certaine manière. Leur comportement entre eux était celui d'enfants qui s'amusaient, qui étaient cruels et pervers, et en même temps gentils et sympathiques. Ce sont les mêmes gardiens que j'ai eu pendant trois mois, et d'un jour à l'autre leur humeur était variable, leur comportement instable, et l'on ne pouvait attendre que celui qui se montrait accommodant le lundi le soit encore le mardi.

LE JUGE LAVERGNE — Alors venons-en aux interrogatoires. Il a été question de méthode douce. Est-ce que c'est un nom que vous avez entendu ? Est-ce que ces mots ont été employés quand vous étiez à M.13 ?

LE TÉMOIN — Non monsieur le Juge. Je pense, en ayant employé ce mot, avoir fait un anachronisme. En fait, j'ai su qu'à S.21, pour l'avoir lu, il y avait la méthode douce et la méthode forte. En ce qui me concerne, je n'ai pas voulu me référer à une technique particulière, j'ai simplement voulu dire que moi je n'ai pas été battu, disons torturé, pour me forcer à passer aux aveux. Voilà ce que je voulais dire.

LE JUGE LAVERGNE — Vous avez indiqué qu'on vous avait demandé de rédiger une déclaration d'innocence. C'est le mot que vous avez employé. Alors j'aimerais savoir si effectivement on vous a demandé de rédiger une telle déclaration ainsi qualifiée, ou est-ce qu'on vous a demandé de rédiger des confessions.

LE TÉMOIN — Ça ressemblait peut-être un peu à cela, mais je me souviens, à moins d'avoir inventé ce terme entre-temps, que j'ai toujours eu le souvenir qu'il s'agissait de « déclaration d'innocence », c'est-à-dire d'un texte que je devais rédiger, afin de déclarer que j'étais innocent des accusations portées contre moi. C'était normalement le développement, ou la seconde partie, d'un curriculum vitae où je devais décliner mon identité, apporter toutes les précisions sur mon père et ma mère, et puis aussi expliquer les raisons, puisque moi j'étais un étranger, qui m'avaient fait venir au Cambodge. Je devais jurer, et je dois dire que pour donner plus de consistance, de vérité à ce que j'affirmais, j'écrivais en permanence, enfin à chaque fois : je jure sur la tête de ma fille que je n'ai jamais été..., etc. etc. D'une certaine manière, je devais dire que j'étais innocent.

LE JUGE LAVERGNE — Vous nous avez parlé également de ce que vous avez pu voir, dans une cabane située de l'autre côté de la berge, de la rivière, et des déductions que vous avez faites à partir de ce que vous avez vu. Pour autant est-ce que vous avez été le témoin direct de scènes de violence ? Est-ce que vous avez entendu des cris, est-ce que vous avez entendu des choses qui, en dehors de ce que vous avez vu, vous laissaient penser que des pratiques violentes aient été exercées ?

LE TÉMOIN — Jamais. Je n'ai jamais entendu de cris et je n'ai jamais été témoin d'aucune violence, pendant toute la durée de mon incarcération à M.13. En revanche, à partir du moment où Douch a accepté que mes deux collaborateurs soient détachés comme moi, nous avons eu l'occasion de nous asseoir ensemble et de parler un peu. Comme je vous l'ai dit, eux étaient certains, sans oser me le dire directement, que je ne serais pas libéré. En tout cas ils le craignaient. Ils m'ont dit qu'ici les prisonniers étaient frappés, qu'ils l'étaient à coups de verge, sur les côtes, et que comme chacun portait une chemise – cette chemise noire à boutons, qu'ils continuaient à mettre même quand elle était déchirée –, cela faisait que personne ne voyait les traces des coups qu'ils pouvaient recevoir. Je ne pense pas me tromper en rappelant ce point qui m'a été révélé par mes deux compagnons.

LE JUGE LAVERGNE — Est-ce que vous pouvez nous parler un petit peu aussi des conversations que vous avez pu avoir avec Douch concernant les relations entre les Khmers rouges et les communistes Viet-cong ?

LE TÉMOIN — Parmi les premières choses que je pense avoir dites à Douch, il y avait cette constatation, cette observation que tout le monde faisait, c'était : mais vous êtes en cheville avec les Nord-Vietnamiens, vous, les Khmers rouges. Est-ce que vous imaginez qu'une fois que, vous ensemble, vous aurez gagné, ils vont partir ? Ils vont vous laisser la place ? Je pense qu'en disant cela, en traduisant ma méfiance vis-à-vis des divisions vietnamiennes qui étaient entrées au Cambodge avec comme seul viatique le nom de Sihanouk et une cigarette – ils entraient dans les villages, je les ai vus entrer à Srah Srang, en tendant une cigarette aux paysans qu'ils croisaient en chemin et en prononçant le seul mot cambodgien qu'ils savaient dire, c'était : « Sihanouk » « Sihanouk ». Je ne fais que rapporter un fait. En traduisant cette méfiance, j'entrais dans la ligne du parti, qui était semble-t-il déjà à cette époque en train de prendre ses distances avec cette collaboration, si l'on peut parler de collaboration, avec le grand frère voisin. J'avais aussi fait valoir que quand les divisions nord-vietnamiennes sont arrivées dans la région de Siemreap, et que le village où j'habitais à treize kilomètres au nord, s'est trouvé lui-même de l'autre côté des lignes vietnamiennes qui encerclaient la ville, j'ai tenté une sortie pour rejoindre la conservation d'Angkor où je travaillais, comme tous les matins, sans m'être rendu compte que les routes étaient coupées et que l'armée nord-vietnamienne se trouvait déjà en place. J'ai aussitôt été arrêté et conduit deux heures après devant un gradé d'une cinquantaine d'années qui m'a interrogé rapidement. Cet officier vietnamien m'a fait un laissez-passer pour retourner à mon village. Par la suite, je ne me suis jamais plus déplacé sans ce coupe-file sur moi. Je l'ai d'ailleurs ici avec moi. Il prescrit en vietnamien de laisser passer le camarade Bizot pour rejoindre sa maison, en des termes suffisamment vagues pour que cela reste utile. Et quand je me suis retrouvé en charge du poste de l'EFEO à Phnom-Penh, j'ai continué à utiliser ce laissez-passer pour la bonne raison qu'on risquait de tomber plus souvent sur des troupes nord-vietnamiennes que sur des Khmers rouges, encore peu présents. Tout ceci pour dire qu'au moment de mon arrestation, j'avais pensé que la présence de ce message sur moi serait perçue favorablement. J'ai su par la suite que cela avait au contraire été retenu contre moi. Quant à Douch, dans la mesure où il ne s'est jamais exprimé sur ce point devant moi, je ne m'en souviens pas précisément, je pense qu'il était lui-même très conscient du risque que représentaient les forces vietnamiennes sur le territoire cambodgien.

LE JUGE LAVERGNE — Vous avez donc été libéré, vous avez écrit un livre qui s'appelle donc *Le portail*, en quelle année avez-vous écrit ce livre ?

LE TÉMOIN — J'ai écrit ce livre en 2000, monsieur le Juge.

LE JUGE LAVERGNE — À la page 26 de ce livre vous avez écrit ceci : « J'avais, par un malheureux hasard, été l'un de ceux-là [parlant d'un des témoins]. Le 10 octobre 1971, alors que je m'étais rendu pour mes recherches dans un monastère de la région d'Oudong, à trente kilomètres au nord de Phnom-Penh, j'avais été arrêté puis enchaîné dans un camp de détention khmer rouge. Pendant trois mois, j'avais vu l'abomination répandre sa chape sur les campagnes. Dès ma libération, l'ambassade de France m'avait demandé de traduire un texte sur le "Programme politique du Front uni national du Kampuchea" que j'avais rapporté du maquis. Son contenu préfigurait l'horreur : déjà y étaient annoncées l'évacuation des villes et la mise en place d'un collectivisme étatique reposant sur une population réduite. Ces avertissements, dûment relayés à Paris, n'avaient cependant pas trouvé la moindre écoute, et la France avait opiniâtrement maintenu son soutien aux Khmers rouges. » Alors, je voudrais savoir, ce dont vous faites état dans ce document, est-ce que ces documents correspondent à ce que vous avez décrit dans votre livre ou est-ce que vous en avez un autre souvenir ?

LE TÉMOIN — C'est au cours du dîner qui a été organisé pour mon départ par les chefs khmers rouges de la région d'Omleang que le haut responsable de ce dîner (il y avait à peu près huit ou neuf personnes), celui qui prenait tout le temps la parole pour me parler, pour rire, pour faire des commentaires politiques sur la future victoire des Khmers rouges, m'a dit au bout d'un certain temps ce qu'il souhaitait, car si les Khmers rouges étaient déjà très présents dans la ville de Phnom-Penh, il demeurait difficile pour les révolutionnaires d'accéder aux ambassades. Et il me demandait si j'acceptais de ramener des documents pour l'ambassade de mon pays. J'ai accepté ces documents qui m'ont été remis dans une chemise que j'ai glissée immédiatement dans la mienne. J'ai simplement insisté pour que l'ensemble ne soit pas trop volumineux, dans la crainte d'être fouillé en route.

En fait, ma libération, si elle avait été obtenue de haute lutte du côté khmer rouge, entraînait aussi mon retour à Phnom-Penh, en milieu républicain, où il était vraisemblable que je suscite une certaine… suspicion, étant donné que jusqu'à présent les seuls prisonniers qui avaient été relâchés l'avaient été par des Vietnamiens. Les Khmers rouges ne faisaient pas de prisonniers. Ces documents contenaient deux fascicules imprimés en khmer. Je ne peux pas me rappeler du titre ni réellement du contenu. J'ai traduit moi-même ce texte, avec des précautions de voleur, parce que je craignais d'être pris en possession de ce document, si une fouille avait eu lieu chez moi, ce qui aurait signifié, au mieux, mon expulsion du Cambodge. Or c'était la seule chose que je ne voulais pas. Je voulais rester au Cambodge, avec ma famille, et continuer à faire le travail que j'aimais. C'était mon seul souci.

J'ai donc traduit rapidement ce texte, c'était un travail difficile, et j'ai remis ce texte à l'ambassade de France, ainsi que les photos qu'on m'avait également confiées. Il y avait une vingtaine de clichés, tous d'époque, qui montraient des combattants khmers rouges, peut-être leur armement, d'une certaine manière, j'y ai repensé depuis, et qui attestaient aussi l'existence de certaines personnalités du régime khmer rouge dont on disait qu'elles avaient été supprimées par le parti ; en particulier Hou Youn et Hu Nim, qui semblaient bien vivants.

Lorsque j'ai éprouvé le besoin d'écrire mon livre, je me suis rendu compte que j'avais du mal à me rappeler certains détails de cette époque de ma vie, lorsque ceux-ci ne reposaient pas sur des sensations ou des émotions. J'ai écrit ce livre non pas comme un rapport, ou comme un témoignage, mais sur la base d'un ressenti. Et dès lors qu'il s'agit ici d'un texte politique, comment, pour le coup, être capable d'en parler et comment y faire référence ? J'ai eu la chance de retrouver la trace de ce document dans les archives du Quai d'Orsay, et comme il n'y avait pas encore tout à fait trente ans il m'a fallu demander une autorisation spéciale. J'ai pu ainsi obtenir une copie, non pas malheureusement de ma traduction, ni du texte original qui l'accompagnait, mais du résumé qu'en avait fait aussitôt le Chargé d'affaires, M. Amiot. C'est donc seulement un résumé de ma traduction qui se trouve aux archives. Ce document, très édulcoré, dont j'ai pris connaissance, ne dit pas grand-chose et m'a paru manquer de beaucoup d'intérêt. Au moins le titre s'y trouve, et je l'ai repris fidèlement dans mon livre.

LE JUGE LAVERGNE — Alors, je précise que des vérifications ont été faites par les co-juges d'instruction concernant ces éventuels documents, des demandes ont été adressées aux Affaires étrangères, deux documents portant le titre : « Programme politique du Front uni national du Kampuchea » ont été retrouvés. Ils figurent au dossier, aux cotes E27-1-3 et E27-1-4. Je ne sais pas si vous avez particulièrement eu l'occasion de lire ces documents, mais je pense qu'il est facile de convenir qu'ils ne correspondent pas à la description que vous en faites dans votre livre. En tout cas, je n'ai pas vu qu'il y soit fait mention d'évacuation des villes, de la mise en place d'un collectivisme étatique reposant sur une population réduite.

LE TÉMOIN — Effectivement, ça n'est pas dans le résumé.

LE JUGE LAVERGNE — Donc, vous pensez avoir éventuellement pu reconstruire un souvenir et y inclure ce que vous avez rapporté dans votre livre, ou est-ce quelque chose dont il était déjà question en 1971 ?

LE TÉMOIN — Toutes les possibilités sont à prendre en compte, monsieur le Juge. Cela dit, je me rappelle que j'avais eu du mal à traduire ce texte et en particulier qu'il y avait un terme que j'avais rendu par « richard », parce qu'il s'agissait d'un néologisme que j'avais du mal à comprendre et qu'il me paraissait que de dire les « riches » correspondait moins bien.

Je ne crois pas avoir élaboré ce texte au-delà de son contenu, dont je me souviens... en large, mais sans précisions non plus. Il est probable que les termes que j'emploie dans le livre sont des termes qui ont été utilisés par la suite, aussi bien dans les journaux que dans les poncifs, souvent répétés, « collectivisme local », « population réduite », etc., et que ces termes précis, je les ai employés à propos d'un texte dont je ne me rappelle que la teneur générale.

LE JUGE LAVERGNE — Dernière question. Vous avez fait état de l'analyse, de la remise en cause, de votre analyse du comportement humain que Douch avait pu susciter en vous. Je vais lire une phrase qui se trouve dans votre livre, *Le portail*, p. 428. Vous avez dit ceci : « Les êtres qui appartiennent à notre histoire, que le temps a nichés tout au fond de notre souvenir, même s'ils ont été l'instrument de notre malheur, finissent par réveiller en nous une sorte d'affection. » Je précise que quand vous écrivez cette phrase vous ne parlez pas de Douch, mais vous parlez d'un nommé Duong, qui en fait était une personne qui avait procédé à votre arrestation en 1971. Pour autant, est-ce que cette phrase pour vous s'applique aussi à Douch ?

LE TÉMOIN — *Le portail* a été écrit trente ans après, à travers le souvenir de mes peurs, de mes émotions, de mes sensations sur le moment, lesquelles ne m'ont jamais quitté depuis maintenant trente-huit ans. Ce que je rapporte de Douch et de M.13, c'est donc ce que j'ai vu avec mon propre regard, vécu et ressenti sur le coup et en fonction des traces en moi laissées par ce ressenti. C'est une démarche littéraire, qui s'appuie sur une reconstruction, nourrie de réminiscences, ce qui n'exclut pas qu'à travers les images qui sont restées en moi, j'ai retrouvé, non pas peut-être la chronologie, mais une certaine vérité ou exactitude des situations qui se sont produites sous mes yeux dans ce camp. Les propos qui ont été tenus soit par Douch, soit par moi, soit par les gardiens et que je rapporte, l'ont été non pas sur la base des mots exacts qu'ils ont prononcés mais sur celle du contenu des échanges, et sur ce que ceux-ci voulaient dire.

Maintenant, vous faites référence à un point précis, l'affection que l'on peut garder de certaines choses, même si elles ont été l'instrument de notre malheur. Je dois dire que ma rencontre avec Douch a marqué mon destin et toute ma réflexion, comme tout ce que je suis aujourd'hui, pour une raison simple ; et tragique. C'est que je dois désormais m'arranger comme je peux avec une donnée double, dont les deux aspects se contredisent atrocement en moi : d'une part un homme qui a été le porteur, le bras armé, d'une tuerie étatisée, et gros de tant d'horreurs commises que je ne peux pas imaginer me mettre aujourd'hui à sa place ; d'autre part celle d'un jeune homme dans lequel j'avoue que j'ai peur de pouvoir me reconnaître, qui a engagé son existence et son cœur en faveur de la révolution, pour un but dont la grandeur cautionnait dès lors l'idée que le crime n'était pas seulement légitime mais qu'il était méritoire ; comme dans toutes les guerres.

Je ne sais pas quoi faire de cette contradiction monsieur le Juge. Mon existence m'a amené à côtoyer l'un et l'autre des deux aspects de l'homme en même temps, et je ne peux pas me débarrasser de la pensée que ce qui a été perpétré par Douch aurait pu l'être par beaucoup d'autre. En voulant réfléchir à cela, il ne s'agit pas de minimiser un seul instant la portée, la profondeur, l'abomination du crime qui est le sien. C'est là que les choses deviennent particulièrement difficiles pour moi, car j'ai senti que pour en mesurer toute l'abomination, ce n'était certainement pas en faisant de Douch un monstre à part qu'on y arriverait. C'était au contraire en réhabilitant en lui cette humanité qui est la sienne comme la nôtre, en la lui reconnaissant de plein droit, et reconnaître que celle-ci n'a manifestement pas été un obstacle aux tueries qu'il a accomplies. Par conséquent, loin de réveiller en moi une quelconque « affection », cette prise de conscience des caractéristiques et de l'ambiguïté qui forme notre humanité, est tout au contraire à l'origine de mon drame aujourd'hui, monsieur le Juge.

LE JUGE LAVERGNE — Monsieur le Président, si vous m'y autorisez, j'aurais maintenant quelques questions à poser à l'accusé lui-même.

LE PRÉSIDENT — [...] Je vous en prie, vous pouvez poser vos questions, l'accusé est autorisé à rester assis là où il se trouve pour y répondre.

LE JUGE LAVERGNE — Alors, ma première question est la suivante. Vous vous souvenez que lorsque je vous ai posé des questions concernant les conditions d'hygiène des détenus, vous avez affirmé de façon très ferme que les détenus avaient la possibilité d'aller se laver à la rivière. Vous venez d'entendre ce que dit le témoin, il a dit qu'il était le seul à avoir eu ce privilège. Alors j'aimerais savoir ce que vous avez à dire sur ce point très précis.

L'ACCUSÉ — Monsieur le Juge, aucun de nous deux n'a trahi la vérité. Quand Monsieur Bizot était avec moi, nous nous trouvions à proximité d'un petit cours d'eau profond d'environ trente centimètres. Il a donc raison de rapporter qu'à cette époque les détenus ne pouvaient se laver dans ce cours d'eau. En ce qui concerne ce que j'ai moi-même dit avant-hier, il s'agissait d'un autre emplacement, à proximité d'une rivière.

LE JUGE LAVERGNE — Donc, si je comprends bien ce que vous nous dites, c'est qu'au moment où M. Bizot était détenu, les autres détenus n'avaient pas la possibilité d'effectuer leur toilette à la rivière ?

L'ACCUSÉ — Oui.

LE JUGE LAVERGNE — Vous avez également entendu le témoin dire que le mensonge était l'oxygène que l'on respirait à M.13. Qu'il y avait par ailleurs la présence de la mort, extrêmement forte, et il a également fait état de ce que vous lui avez dit à propos de la « torture », puisque c'est le mot qui a été employé. Alors, j'aimerais savoir ce que vous pensez de cela, et ensuite j'aurai une autre question.

L'ACCUSÉ — En ce qui concerne la torture, je m'en suis déjà expliqué à la Cour. Tout d'abord j'ai pratiqué la torture sur quelqu'un qui s'appelait Kéo Boun Hieng. Aussi, il se peut que ce soit cette histoire que j'ai rapportée à M. Bizot. Pour ce qui est de la petite cabane qu'il a vue, où se trouvaient des attaches et des anneaux, je ne crois pas que cela soit faux. Par contre cette installation n'était pas à moi. Je souhaite préciser qu'avant la création de M.13, il y avait déjà à cet endroit un bureau de police, que Ta Mok a fait détruire, et que dirigeaient des gens de Hanoï. Aussi il se peut, soit que ça vienne d'eux, je ne sais pas, soit qu'il s'agisse d'un reste d'une ancienne installation laissée en plan. Concernant les tortures je ne les conteste pas. Selon ce qui se faisait, il y avait au moins deux façons de procéder, dont je me souviens. C'est tout ce que je voulais préciser.

LE JUGE LAVERGNE — Qu'est-ce que c'est que ce bureau de police tenu par des gens de Hanoï ?

L'ACCUSÉ — Ce que je peux répondre en fonction de mes souvenirs est ceci. Il s'agissait d'un bureau de police qui était comparable à M.13. Mais Ta Mok l'avait fait démolir avant la création de M.13. Quand j'ai reçu la direction de M.13, je me suis également interrogé là-dessus. Pourquoi Ta Mok avait-il détruit ce bureau des gens de Hanoï ? J'ai demandé cela afin d'être sûr que ce je faisais n'allait pas subir le même sort, mais je n'ai pas obtenu de réponse.

LE JUGE LAVERGNE — Je vais donner lecture d'un autre extrait du livre de M. Bizot, d'un passage qui se trouve à la page 184. Donc, c'est le dialogue entre vous et François Bizot.

François Bizot dit ceci : « J'ai cru deviner, à des bribes de conversations, que des prisonniers de notre camp avaient été attachés et battus... » — Votre réponse : « La plupart des gens qui arrivent ici, expliqua-t-il après un silence, ont été pris en flagrant délit d'espionnage. C'est ma responsabilité de les interroger pour savoir quels sont leurs contacts, quel type d'information ils recherchent, qui les paie. Un seul de ces traîtres peut mettre en danger tout notre combat. Imagines-tu qu'ils vont dire ce qu'ils savent de leur plein gré ? » – Question de François Bizot : « Mais qui frappe ? » – « Ah ! coupa-t-il, donc vous donnez votre réponse. Leur duplicité m'insupporte au plus haut point ! La seule façon est de les terroriser, de les isoler, de les affamer. C'est très dur. Je dois me faire violence. Tu n'imagines pas combien leur mensonge me met hors de moi ! Quand je les interroge et qu'ils recourent à toutes les ruses pour ne pas parler, privant ainsi notre commandement d'informations peut-être capitales, alors je frappe ! Je frappe jusqu'à en perdre le souffle moi-même… » Est-ce que ce qui est rapporté dans ce livre correspond à quelque chose qui éveille des souvenirs en vous, quelque chose qui correspond à une certaine réalité ?

L'ACCUSÉ — Je continue à croire que l'histoire que je rapporte à M. Bizot est exactement celle de l'interrogatoire que j'ai mené sur cet espion qui s'appelait Kéo Boun Hieng. À ce moment-là, comme je l'ai déjà rapporté devant la Cour ou au co-Procureur je ne sais pas, je souffrais du paludisme, j'avais des vertiges. Pendant que je l'interrogeais, deux camarades de Hanoï sont intervenus afin de le frapper à toute volée, et il a tout de suite avoué être un espion. Voyant cela, je me suis mis en colère. Je me suis approché à mon tour pour le frapper du pied et l'homme m'a supplié. J'ai levé la main pour le frapper, mais j'étais à bout de souffle, fatigué à mourir. Alors je l'ai fait ramener à sa place. C'est cette fois-là que je me suis senti essoufflé et perdant l'équilibre. Je me sentais très mal et extrêmement faible, à cause de ma mauvaise santé. Mais c'est aussi quand les deux camarades ont frappé le prisonnier devant moi que mon émotion est devenue très intense.

LE JUGE LAVERGNE — Excusez-moi de vous interrompre, mais est-ce qu'on doit comprendre de ce que vous nous dites que ce que M. Bizot rapporte ne correspond pas à ce que vous lui avez dit. Est-ce que c'est la vérité ou est-ce que ce n'est pas la vérité ?

L'ACCUSÉ — Je n'ai pas lu de façon très précise le passage écrit par M. Bizot. Mais l'histoire dont je me souviens est celle que je viens de rapporter. Pour l'instant, dans ce moment où je me trouve devant vous, je ne suis pas en mesure d'objecter aux propos qui ont été tenus par M. Bizot. Je souhaiterais que vous nous laissiez la possibilité d'y réfléchir ensemble.

LE JUGE LAVERGNE — Alors, juste une précision. Ce livre vous l'avez en votre possession. Il vous a été remis par vos avocats. Vous ne l'avez pas lu ?

L'ACCUSÉ — *(En français)* Bien sûr, je ne l'ai pas [lu]. Simplement la page 169. [Où] il a écrit [à propos de] la perte de Lay et Son.

LE JUGE LAVERGNE — Vous vous souvenez de la page précise, mais vous ne vous souvenez plus ce qui a été écrit concernant la torture ?

L'ACCUSÉ — Oui… Je pense que ce qui est rapporté sur la torture et toutes les violences représente la vérité exacte ! Et je peux dire ceci : lorsque M. Bizot était avec moi je ne l'ai pas frappé, je ne l'ai pas puni, je ne lui ai rien fait. J'ai vu que sa souffrance la plus forte venait de [sa responsabilité vis-à-vis de] Lay et Son.

LE JUGE LAVERGNE — Alors, j'ai une dernière question. Il a été beaucoup question de votre désir de connaître la vérité. De votre haine du mensonge. Je voudrais savoir si vous confirmez ce qui est à la cote D67 du dossier. Il s'agit de l'un de vos interrogatoires. Et les co-juges d'instruction vous ont posé la question suivante. Je vais peut-être donner le numéro d'IRN également, c'est le 00177645, version française.

La question qui est posée est la suivante : « Ceci conduit à vous interroger sur la valeur que vous accordiez au contenu des confessions. Pensiez-vous qu'elles reflétaient la vérité ? Votre sentiment a-t-il évolué sur ce point au fil des années ? » Vous expliquez un certain nombre de choses concernant S.21, on y reviendra peut-être plus tard. Mais vous dites également ceci, un peu plus bas : « En réalité, déjà du temps de M.13, je savais que les confessions ne reflétaient pas la vérité. J'ai été forcé de travailler au service d'une organisation criminelle toute ma vie et j'assume ma responsabilité pour cela. » Est-ce que vous avez entendu ce que je viens de lire et est-ce que vous avez compris ? Est-ce que vous avez des commentaires ?

L'ACCUSÉ — J'ai clairement entendu et compris la déclaration que vous venez de lire. Il s'agit de ce que j'ai dit à propos de mon analyse sur les confessions extorquées sous la torture. Et je reconnais qu'il s'agit de crimes qui ne peuvent être niés.

LE JUGE LAVERGNE — Ma question est plus précise. Vous dites textuellement ceci : « Déjà du temps de M.13, je savais que les confessions ne reflétaient pas la vérité. » Alors, est-ce que vous confirmez que vous saviez que les confessions étaient contraires à la vérité ?

L'ACCUSÉ — Je maintiens que les aveux ainsi obtenus ne reflétaient pas la vérité. Au maximum, peut-être seulement vingt pour cent. Et pour ce qui est des personnes dont le nom était livré [au cours de tels interrogatoires], au maximum dix pour cent.

LE JUGE LAVERGNE — Est-ce qu'il y avait une vérité qui était une vérité d'ordre politique, une vérité qui devait être conforme à une ligne prolétarienne, je ne sais pas comment la qualifier, qui faisait qu'on occultait le fait que ce ne soit pas la réalité ?

L'ACCUSÉ — Est-ce que vous pouvez me laisser un moment pour réfléchir, j'ai du mal à répondre. S'il vous plaît, pouvez-vous reformuler votre question sans la changer, mais en la découpant en plus petites parties ?

LE JUGE LAVERGNE — Vous avez dit que seulement vingt pour cent des confessions étaient conformes à la vérité. Ma question est la suivante : est-ce que pour le reste elles étaient conformes à une vérité qui n'était pas la réalité, mais qui était la vérité voulue par le parti, par la ligne prolétarienne, par l'idéologie ?

L'Accusé — Ces vingt pour cent auxquels je fais référence comme ne reflétant pas la vérité s'expliquent ainsi. Parmi les nombreuses personnes qui étaient arrêtées et qu'il fallait interroger, certaines étaient des révolutionnaires accusés d'être des informateurs. Qu'il me soit permis de prendre l'exemple de la confession de Khoy Thuon. Je n'ai personnellement pas lu ses aveux mais l'échelon d'en haut qui en a pris connaissance m'a informé qu'ils étaient véridiques. Toutefois, en ce qui me concerne, cela pose un problème. Je ne sais que croire entre ses activités de trahison et ses activités révolutionnaires, dès lors qu'il a reconnu être aux ordres de la CIA. Ainsi, la raison pour laquelle je dis que ces confessions n'étaient pas véridiques vient de cette contradiction.

Le Juge Lavergne — Alors, une ultime question. Vous avez entendu aussi ce dont il a été question à propos de la délation. Est-ce que vous savez ce que c'est que la délation ?... Vous n'avez pas entendu la question ?

L'Accusé — Oui, j'ai entendu la question mais je ne comprends pas le mot délation.

Le Juge Lavergne — La délation, c'est le fait de dénoncer. Est-ce que la dénonciation faisait partie des principes que l'on devait mettre en œuvre pour devenir un bon révolutionnaire ? Est-ce que vous avez entendu ce qui a été dit tout à l'heure, il était apprécié de pouvoir par exemple dénoncer ses propres parents ?

L'Accusé — Il s'agit là d'une question qui a trait à la théorie. J'ai entendu parler de cela, déjà lorsque j'étais à la prison centrale. On disait qu'un certain cadre vietnamien avait fait arrêter son père. Celui-ci ayant été présenté devant lui, il avait dit : « Je salue respectueusement mon père, mais je vais faire exécuter l'ennemi. » Personnellement, je n'ai jamais apprécié que mes subordonnés dénoncent leurs parents. Aussi, je n'ai jamais encouragé cela.

Le Président — Maintenant, la Chambre souhaiterait donner la parole au co-Procureur étranger.

Le co-Producteur étranger — Merci monsieur le Président. Monsieur Bizot, quelques questions. Peut-être est-ce une question de traduction, mais hier vous nous avez relaté, de manière très éloquente, le dernier repas avant votre libération et, particulièrement, la conversation que vous avez eue avec l'accusé, dans laquelle il vous a avoué avoir lui-même battu les prisonniers pour les faire avouer. Vous nous avez cependant, et encore une fois je demanderai votre indulgence si la traduction n'a pas été fidèle, mais vous avez semblé dire que par le même souffle Douch vous a exprimé que ce travail le faisait vomir. J'ai, je crois, attentivement regardé votre livre, relu pardon votre livre, relu votre PV d'interrogatoire par le juge d'instruction, et je n'ai noté nulle part qu'à aucun moment que ce soit, et encore moins lors de ce repas, l'accusé, pendant ces trois mois, vous ait exprimé quelque remords ou quelque anxiété par rapport, et encore une fois vous m'excuserez, à ce travail. Alors, pourriez-vous clarifier si effectivement vous maintenez aujourd'hui ou vous vous souvenez aujourd'hui de ce remords apparent qu'il vous aurait exprimé lors de ce souper ou de ce dîner, ou s'il s'agit là peut-être d'un espoir que vous auriez eu ou un souvenir, un souvenir que vous auriez maintenu ?

Le Témoin — Oui, monsieur le Procureur, je suis moi-même embarrassé sur un point, en particulier. Témoigner objectivement de ce qui s'est passé sous mes yeux est une chose. Relater par le moyen de l'écriture ce que j'ai vécu en est une autre. Si la part d'exactitude des événements et des faits qui se sont produits et que je relate dans mon livre ne va pas au-delà de mes souvenirs, je n'ai pas tout vu loin s'en faut. Et quelqu'un d'autre aurait dit les choses autrement et vu des choses que je n'ai pas perçues. D'autant plus que je n'ai pas sollicité, comment dire, ma mémoire consciente, d'une certaine manière, pour rendre compte trente ans après des effets produits sur moi par une épreuve dont il n'était pas prévu que je sorte vivant. J'ai donc, dans ce livre, exprimé un ressenti. Rendre maintenant objectivement un témoignage sur ce qui s'est passé pendant trois mois, trente-huit ans après, est une autre affaire et demande infiniment plus de ma part de précautions verbales. Je dois dire, pour répondre à votre question, que je n'ai pas entendu Douch exprimer de remords. Je crois me rappeler... j'allais dire l'extrême... désagrément, ou comment dire la grande gêne de Douch lorsqu'il m'a dit qu'il lui arrivait de frapper les prisonniers. Il ne me l'aurait pas dit, je ne l'aurais pas imaginé. Mais me l'ayant dit, je retiens cela. Les termes qu'il a employés pour le dire, je ne peux pas les confirmer. Je me souviens simplement que c'était dans un élan de spontanéité, de sincérité, qu'il m'a parlé de ce travail qu'il avait à faire et qu'il considérait que c'était un travail obligé, qu'il faisait en se forçant. En se forçant. En… comment dirais-je, en en faisant un devoir. Si le mot hier a été de dire que ça le faisait vomir, je pense que…, ne me souvenant plus ce que j'ai dit hier, ce n'est peut-être pas le mot qu'il a employé.

LE CO-PROCUREUR ÉTRANGER — Vous êtes d'accord avec moi, qu'avoir un devoir, ce n'est pas nécessairement se forcer, pour faire un devoir. Corrigez-moi encore si je me trompe, mais vous nous dites qu'à aucun moment pendant votre détention l'accusé ne vous a exprimé de remords, et que lors de cette conversation-là vous relatez d'autre part dans votre livre et dans le procès-verbal de votre interrogatoire – et, entendons-nous bien, il est bien clair que trente ans après, dans les circonstances que vous avez vécues, nous comprenons tous que votre témoignage reflète ces circonstances. Mais néanmoins, cette obligation de faire ce genre de travail, vous ne la relatez pas dans ces documents et vous nous le dites ce matin. Est-ce que ça serait exact de dire que c'est plutôt une impression que vous avez eue et non pas quelque chose que Douch vous a dit lui-même ?

LE TÉMOIN — Il m'a dit… que c'était un travail qui lui revenait. Et que…, j'ai peur de me rappeler ce que j'ai écrit. Voyez-vous, d'avoir écrit a d'une certaine manière lavé ma mémoire, l'a vidée. J'ai peur de ne pas pouvoir me rappeler réellement des souvenirs que j'avais avant d'écrire ce livre. Et j'ai peur de vous répéter ce que j'ai écrit. Je crois néanmoins me souvenir que Douch a exprimé que ce travail, il le faisait sans plaisir, comme une obligation, parce que les prisonniers ne diraient pas la vérité d'eux-mêmes.

LE CO-PROCUREUR ÉTRANGER — Et, pour être bien clair, cette conversation se tient alors que vous êtes avec d'autres cadres, dont un responsable, ou c'est en parallèle vous-même avec Douch seulement ?

LE TÉMOIN — Non, c'est la veille de ma libération. Je n'ai pas été libéré le 24, mais le 25 décembre. Et ce contretemps, qui a fait que j'ai été libéré un jour plus tard, a créé une sorte de battement dans la soirée. Cela s'est passé au moment où je me suis approché de Douch qui était assis près du feu, ou inversement. Il n'y avait personne d'autre, sauf un jeune gardien qui est venu au bout d'un certain temps et à qui Douch a demandé de chanter un chant révolutionnaire…

LE CO-PROCUREUR ÉTRANGER — Vous avez témoigné, à l'instruction, comme hier, que vous-même n'avez pas été victime de torture physique. Mais qu'en est-il de la torture psychologique ? Et plus précisément, vous nous relatez dans votre livre deux incidents. Le premier, dans lequel l'accusé vous avait fait croire que vous aviez été finalement découvert, trouvé coupable, et que donc vous en supporteriez les conséquences. Cet incident évidemment crée chez vous une réaction, et devant cette réaction Douch vous annonce : « Non, non, c'est une blague, ah ! ah ! ah ! » Pourriez-vous me confirmer si effectivement cet incident est arrivé tel que je le décris, ou décrivez-nous-le si j'ai manqué certains détails, et pouvez-vous nous confirmer qu'effectivement cet incident est arrivé.

LE TÉMOIN — Je vous le confirme totalement. L'accusé est là pour se le rappeler. S'il est difficile de se rappeler par contre de certains mots employés à l'époque, soit par lui, soit par moi, en revanche, cet intermède, au retour d'une de ses sorties hebdomadaires, est extrêmement clair dans ma mémoire. Je confirme donc qu'effectivement il y a eu une plaisanterie autour du fait…, comment dire, sur la finalité de ma détention. C'est-à-dire, il m'a dit que, d'une certaine manière, j'avais été découvert et démasqué. Je pense que c'est la première et la seule fois que Douch m'a parlé en français. Ma réaction a été d'autant plus vive que je savais depuis la veille qu'il devait passer la journée à parler avec des responsables, ses supérieurs, et que mon cas serait à nouveau évoqué. Et comme cela faisait déjà trois mois que j'étais là, ça ne pouvait pas durer tellement plus longtemps non plus. Quand il a donc feint devant moi que j'avais été démasqué et donc que les accusations qui étaient portées contre moi implicitement étaient justes, mes genoux ont lâché et je me suis effondré. À ce moment-là il m'a relevé en disant que c'était une plaisanterie.

LE CO-PROCUREUR ÉTRANGER — Et pourriez-vous nous parler de l'autre incident de ce type, où cette fois-là l'accusé a fait usage de votre relation avec votre collègue et ami Son pour aussi vous faire croire à des conséquences et par la suite vous annoncer que non, c'était encore une blague ?

221

LE TÉMOIN — Monsieur le Procureur, est-ce que vous faîtes référence à ce qui s'est passé lorsque mes deux compagnons avaient été détachés et que moi-même j'étais libre de me déplacer dans le camp ? Cela s'est peut-être d'ailleurs produit au moment où Douch a ordonné à un jeune gardien de désentraver Lay et Son. Est-ce que vous faites référence à cette remarque qu'il a faite en disant à Son, si je me souviens bien : « Bizot… », j'aurais dû relire mon livre avant de venir parce que je ne me souviens plus ce que j'ai écrit. Il y a eu une scène où Douch a, d'une certaine manière, plaisanté en s'adressant à Son. Douch avait compris que j'étais très lié avec Lay. Je connaissais Lay depuis plus de cinq ans. Nous étions tout le temps ensemble, nous travaillions ensemble. Son était employé par la conservation d'Angkor depuis je pense seulement six mois. Il était jeune marié et j'avais peu de relations avec lui, je le connaissais beaucoup moins. Aussi, lorsque nous étions tous les trois, c'était quand même avec Lay qu'il y avait une communication directe, d'autant plus qu'il était plus expérimenté dans son travail que Son. Douch a dit à Son : « Bizot va partir, mais l'un de vous deux doit rester. Comme il y a le choix, Bizot a pensé que c'était Lay qui partirait avec lui. » Donc, silence de la part de Son. Alors Douch lui a dit : « Tu me crois, tu crois que c'est possible ? » Et, à ma grande souffrance, Son a répondu : « Oui, je crois que c'est possible. » Après quoi, je crois que Douch a ajouté : « Ah ! Voilà enfin quelqu'un qui me croit. » Mais il a ri et Son a été détaché en même temps que Lay.

LE CO-PROCUREUR ÉTRANGER — Merci. Pas d'autres questions.

LE Président — Je souhaiterais poursuivre en donnant aux parties civiles la possibilité de poser leurs questions au témoin. J'aimerais tout d'abord inviter les avocats de la partie civile du groupe n° 1.

LE CO-AVOCAT ÉTRANGER DU GROUPE N° 1 — Bonjour monsieur Bizot. Mon nom est Alain Verner, je représente trente-huit parties civiles dans ce procès. J'ai juste quelques questions pour vous. La première question : vous avez mentionné hier votre statut privilégié à M.13. Et pour reprendre vos mots, vous avez parlé d'un traitement de faveur. Notamment par rapport à la nourriture à un certain moment, et puis aussi par rapport au fait que vous n'avez pas été frappé. Il était clair dans ce que vous avez raconté hier et dans votre livre que c'est l'accusé qui vous a accordé ce traitement de faveur. Est-ce que vous savez, monsieur Bizot, si l'accusé avait obtenu une autorisation préalable de ses supérieurs avant de vous octroyer ce traitement de faveur ?

LE TÉMOIN — Je ne peux pas savoir. Je ne peux même pas dire que je l'imagine ou que je ne l'imagine pas. Je l'ignore totalement, je ne peux pas répondre à votre question.

LE CO-AVOCAT ÉTRANGER DU GROUPE N° 1 — Hier vous avez mentionné le fait que l'accusé parlait peu et vous avez dit qu'il était très investi dans ses responsabilités de chef de camp. Monsieur Bizot, qu'est-ce que vous avez vu ou qu'est-ce qu'on vous a dit qui vous a fait comprendre cela ?

LE TÉMOIN — Cela ressortait de la personnalité évidente de l'accusé, déjà à cette époque et ensuite de la réputation qu'il avait parmi les gardiens. Les jeunes gardiens avaient beaucoup de respect pour l'accusé sur la base des nombreuses heures de travail qu'il effectuait sur les dossiers ; sur les dossiers, ou en tout cas, il travaillait beaucoup. Et cela lui avait donné une réputation de sérieux et de responsable qui inspirait un certain respect chez les gardiens. En suite, j'ai pu constater que ce que je disais ou que j'écrivais dans mes déclarations était toujours confronté avec ce que j'avais dit une semaine avant ou deux semaines avant, et cette analyse de mes affirmations était faite avec soin. Puis, dans les deux derniers jours, à partir du moment où l'on m'a ôté mes chaînes et que j'ai pu parler avec Lay et Son, voire même échangé quelques mots avec les détenus. Douch jouissait chez tous de la réputation d'être quelqu'un de très investi dans ses différentes tâches.

LE CO-AVOCAT ÉTRANGER DU GROUPE N° 1 — [...] J'ai juste encore deux questions, monsieur le Président. La première par rapport aux interrogatoires, monsieur Bizot. Vous avez dit hier : « Je ne pouvais pas apporter la preuve de ma non-culpabilité » et vous avez expliqué que, à un moment donné, vous vous êtes dit que vous ne pourriez pas prouver votre innocence. Et puis, répondant à M. Petit, le co-Procureur, vous avez parlé de cet exemple de simulacre. J'ai juste une question par rapport à cela, M. Bizot. Est-ce que vous pensez qu'un Cambodgien, quelqu'un peut-être sans votre éducation, sans votre érudition de membre de l'École française d'Extrême-Orient, qu'un Cambodgien interrogé par l'accusé pouvait apporter la preuve de sa non-culpabilité, comme vous avez vous-même réussi à le faire ?

LE TÉMOIN — Je ne le pense pas. Je ne dis pas que je sais que ce n'est pas cela, mais que je ne le pense pas. Je crois au contraire que, étant arrivé dans un camp de détention, il n'y avait pas d'autres issues que la culpabilité. J'ai l'impression aussi que toutes les tentatives de dire que les accusations portées contre soi étaient injustes, infondées, ne faisaient que retarder douloureusement le moment de la mort. C'est ce que je pense. En revanche, je n'ai pas l'impression d'avoir réussi à convaincre l'accusé de ma culpabilité, moimême. Je pense que c'est une idée qu'il s'est faite luimême, sur la base de ce que je disais pendant les interrogatoires et du recoupement qu'il pouvait faire auprès de Lay et Son sur la réalité de mes activités. D'une certaine manière, j'ai bénéficié – je n'en tire que de la souffrance –, … mais la présence de Lay et Son dans ce camp a été un facteur fondamental pour ma libération. Tout ce que je disais d'un côté ne pouvait être que confirmé par leurs souvenirs, de l'autre.

LE CO-AVOCAT ÉTRANGER DU GROUPE N° 1 — Une dernière chose, monsieur Bizot. Pendant les nombreux entretiens que vous avez donnés à la presse, ces derniers mois et ces dernières années, il y a un terme récurrent qui est le fait que derrière le masque du monstre il faut voir l'homme, il faut réussir à voir l'être humain. Et vous avez vous-même apparemment réussi à faire cette démarche, par rapport à l'accusé, et à voir l'homme. Bien sûr cette démarche vous appartient et, pour les parties civiles, nous la respectons. J'ai juste une question par rapport à cela. Vous n'avez pas seulement été victime de l'accusé. Vous avez été détenu par une organisation, les Khmers rouges, et bien sûr vous savez ce qu'ils ont fait ensuite à ce pays, qui est un pays que vous aimez. Est-ce que vous êtes dans la même démarche de voir l'homme au-delà du bourreau, par rapport aux responsables khmers rouges encore vivants et en attente de procès. Avec lesquels vous n'avez pas eu d'interaction directe, je pense notamment à Nuon Chea. Est-ce que vous arrivez également par rapport à lui à voir l'homme ?

LE TÉMOIN — ... Oui, Maître.

LE CO-AVOCAT ÉTRANGER DU GROUPE N° 1 — Je n'ai pas d'autres questions, monsieur le Pré...

LE TÉMOIN — ... Je n'ai pas fini.

LE CO-AVOCAT ÉTRANGER DU GROUPE N° 1 — Excusez-moi.

LE TÉMOIN — Ce que je veux dire par là, c'est que, pour prendre la mesure de l'abomination du bourreau et de son action – vous venez de citer le nom de Nuon Chea, ou celui de l'accusé –, je dis qu'il faut réhabiliter l'humanité qui l'habite. Si nous en faisons un monstre à part, dans lequel nous ne sommes pas en mesure de nous reconnaître, en tant qu'être humain, non pas en tant que ce qu'il a pu faire mais en tant qu'être humain, l'horreur de son action me semble nous échapper dans une certaine mesure. Alors que si nous considérons qu'il est un homme avec les mêmes capacités que nous-mêmes, nous sommes effrayés, au-delà de cette espèce de ségrégation qu'il faudrait faire entre les uns qui seraient capables de tuer et puis nous qui n'en sommes pas capables. Je crains malheureusement qu'on ait une compréhension plus effrayante du bourreau, quand on prend sa mesure humaine.

D'autre part, essayer de comprendre ce n'est pas vouloir pardonner. Il n'y a me semble-t-il aucun pardon possible. Au nom de qui peut-on pardonner. Au nom de ceux qui sont morts ? Je ne le pense pas. Et l'horreur de ce qui a été fait au Cambodge, qui n'est pas exclusive malheureusement à ce pauvre pays, c'est une horreur sans fond, et le cri des victimes doit être entendu sans jamais penser qu'il puisse être excessif. Les mots les plus durs qu'on peut avoir contre l'accusé sont des mots qui ne seront jamais assez durs. Il ne s'agit pas de vouloir pardonner ce qui a été fait. Il s'agit, dans ma démarche, qui n'a aucune raison d'être celle des victimes, d'essayer de comprendre le drame universel qui s'est joué ici, dans les forêts du Cambodge ; comme dans d'autres pays, ou à d'autres moments de notre histoire. Même l'histoire la plus récente.

LE PRÉSIDENT — À présent, je voudrais donner la parole aux avocats de la partie civile du groupe n° 2. Je vous en prie.

LE CO-AVOCAT ÉTRANGER DU GROUPE N° 2 — Merci monsieur le Président. Mon nom est Silke Studzinsky et je suis co-avocate pour les parties civiles du groupe 2.

M. Bizot, je souhaiterais revenir sur votre relation vis-à-vis de l'accusé, au cours de votre séjour de trois mois, et que vous rapportez dans la traduction anglaise de votre livre, comme empreinte d'une certaine familiarité. Pourriez-vous nous préciser à quelle fréquence et sur quel type de sujet, si vous vous le rappelez, il vous a été possible de communiquer et d'entretenir une sorte d'échange intellectuel, comme je l'ai compris hier, avec l'accusé ?

LE TÉMOIN — Je voyais le responsable du camp, Douch, pratiquement tous les jours. J'étais moi-même dans l'incapacité de contenir mes pleurs, ma souffrance, et le sentiment d'incompréhension, d'injustice, que j'éprouvais. Cela se traduisait, la plupart du temps, par de la colère. Une colère bien vaine, que je n'exerçais finalement que contre moi-même, mais durant les interrogatoires, face aux questions que Douch me posait, qui me donnait la force d'exprimer l'insupportable injustice dont je faisais l'objet ainsi que d'éprouver le soulagement de poser moi-même des questions en retour à mon interrogateur. Je dois dire qu'il s'est pris au jeu, qu'il m'a parlé de sa famille, afin peut-être – c'est moi qui l'ajoute – que je parle mieux de la mienne. Il m'a parlé de son travail, à l'époque où il enseignait les mathématiques à Kompong Thom, peut-être encore pour que je parle mieux du mien. Tout cela n'a pas été sans créer une certaine régularité dans les rapports quotidiens que nous avions, où nous reprenions les discussions de la veille, où il me contredisait, il revenait éventuellement sur les points d'information que j'avais fournis en considérant que je me coupais, bref il faisait son travail d'interrogateur. Tout cela a créé à la longue une sorte de quotidien, d'habitude.

Je pense que si j'ai reçu à la suite de cette épreuve d'incarcération un choc que je ne peux pas oublier et qui a été de voir l'homme derrière le bourreau, Douch, de son côté, a fait d'une certaine manière avec moi ce qu'aucun bourreau ne doit faire : il a lui-même été amené à voir l'homme derrière l'espion, derrière le prisonnier. Et je suis convaincu que le chef de M.13 a été amené à regarder mon dossier avec une attention qu'il n'a pas pu avoir pour les autres, parce que mon interrogatoire qui a duré longtemps a pu créer une sorte de lien d'humanité entre nous. Ce faisant, m'envoyer à la mort devenait une opération beaucoup plus difficile que celle de faire tuer des êtres déshumanisés, en tout cas qu'on n'a pas cherché à humaniser. Je ne sais pas, Maître, si j'ai répondu à votre question.

Le co-Avocat étranger du groupe N° 2 — Oui, merci. Je reviens sur un élément de ma question. Serait-il exact de dire que ce questionnement en retour, comment dire, les questions que vous lui adressiez en répondant aux siennes, prenaient la forme d'une discussion, plutôt d'un entretien, et non pas d'un interrogatoire. Plus comme un échange.

Le Témoin — Je ne dirais pas cela. Ces échanges, ces discussions, sous-tendaient tous un objectif précis, très clair : celui de me prendre en défaut. De m'amener à me contredire. J'ignore si la cohérence de toutes mes réponses a été satisfaisante, mais il en est ressorti en tout cas un certain nombre d'éléments pour lui, permettant de penser que je n'étais pas un agent de la CIA. C'est ce qu'il a fait valoir auprès de ses supérieurs. Je ne pense pas, sauf peut-être le dernier jour, une fois libéré de mes entraves, qu'il y ait jamais eu quelque chose de simplement amical, de libre. Le contexte dans lequel nous nous trouvions était trop infernal. On ne peut pas parler de relations normales entre un geôlier et un prisonnier, encore moins dans un camp comme celui-là.

Le co-Avocat étranger du groupe n° 2 — Merci monsieur Bizot.

Le Président — J'invite les avocats de la partie civile du groupe n° 3 à poser leurs questions. Je vous en prie.

Le co-Avocat étranger du groupe n° 3 — Merci monsieur le Président. Monsieur Bizot, je suis Philippe Cannone, je suis en charge de la défense des intérêts du groupe 3 des parties civiles […] Je voudrais savoir, monsieur Bizot, si vous avez eu connaissance pendant le temps de votre détention du nombre d'exécutions perpétrées ?

Le Témoin — J'ai l'impression d'avoir fait une estimation de cela dans mon livre, les choses ne sont plus claires maintenant dans ma mémoire. Les exécutions c'est plus difficile étant donné que je voyais entrer les gens et je les voyais sortir. J'ai toujours eu l'impression que ceux qui sortaient, c'était pour être exécutés. Mais en restituer le nombre, comme cela, ça serait je pense trop aléatoire. Il y a eu aussi une quinzaine de personnes qui sont mortes du paludisme quand j'y étais. Euh… Je ne peux malheureusement pas être plus précis sur le nombre des exécutions qui ont eu lieu à M.13 pendant cette période. J'ajouterai quand même que je pense que tous les prisonniers que j'ai vus entrer et qui étaient encore vivants lorsque je suis parti, ont dû mourir.

LE CO-AVOCAT ÉTRANGER DU GROUPE N° 3 — Je reviens, monsieur Bizot, à vos propres interrogatoires. Est-ce qu'il est arrivé, pour essayer de vous confondre, que l'on vous présente des documents falsifiés relatifs à votre prétendue culpabilité ?

LE TÉMOIN — Non, à aucun moment il ne s'est produit une chose comme cela.

LE CO-AVOCAT ÉTRANGER DU GROUPE N° 3 — Je quitte les faits, monsieur Bizot, puisque de très nombreuses questions vous ont été posées. Je crois que la hauteur de vue à laquelle vous vous êtes situé tout à l'heure, la distance que vous avez volontairement prise, m'autorisent peut-être à vous interroger sur votre ressenti. Est-ce que vous me permettez d'effectuer cette démarche auprès de vous ?

(Le Témoin acquiesce.)

Bon. Alors ma dernière question se dédouble. Pendant l'instruction et pendant la détention de Douch, vous avez demandé à le rencontrer. On a bien compris, et je rejoins mon confrère Verner sur le respect qu'il témoigne par rapport à cette démarche. On a bien compris votre volonté d'essayer de comprendre la complexité de l'âme humaine. Donc deux demi-questions. Est-ce qu'aujourd'hui les remords, les regrets, qui n'ont pas été manifestés à l'époque à quelque moment que ce soit, vous l'avez dit, viennent à l'esprit de Douch ? Deuxième question. Vous pouvez répondre ainsi sur l'ensemble. Lorsque vous quittez vos camarades, on vous dit : « Camarade français, ne nous oublie pas ! » Si Lay et Son était aujourd'hui ici, qu'attendraient-ils de cette confrontation, qu'attendraient-ils de ce procès, et vous m'avez compris, monsieur Bizot, au-delà de ces deux compagnons, que peuvent attendre aujourd'hui les parties civiles ?

LE TÉMOIN — Je ne peux pas répondre à la place de Lay et de Son. Quant à moi, je ne m'autorise pas le statut de victime. Si j'essaie néanmoins de me mettre à la place de ceux qui sont morts sous la torture ou après, ainsi que vous me le demandez, je pense que le seul arrangement qui pourrait alors m'apaiser et atténuer l'inextinguible exécration qui me ronge, la haine… serait de me sentir quitte. Retrouver mon compte dans la souffrance infligée au bourreau. Je m'interroge néanmoins sur le fait qu'il puisse en être ainsi, et même si une telle équation a du sens, tenu compte de l'atrocité du crime des Khmers rouges. Cela étant et comme tel, puisque vous vous adressez à moi au nom de mes anciens codétenus, je ne crois pas les trahir si j'avance que pareille rémission de leur part n'aurait lieu que dans le cas où les pertes de Douch paraîtraient de nature à annuler les leurs. Plus simplement, quand la souffrance imposée à celui qui a torturé mon père, fait mourir mes enfants, deviendrait égale à celle endurée par ceux-ci.

LE PRÉSIDENT — […] Je donne maintenant la parole aux avocats de la défense, afin qu'ils posent leurs questions au témoin M. François Bizot. Je vous en prie.

MAÎTRE ROUX — Merci monsieur le Président. Bonjour monsieur le Témoin. À peine quelques questions, beaucoup de choses ont déjà été dites. Mais peut-être une question précise concernant cet adjoint de Douch. Nous lui avons posé la question. Est-ce que si je vous donne le nom de Ho Kim Heng, alias Soum, ça pourrait être cette personne ?

LE TÉMOIN — Ho Kim Heng ne me dit rien. En revanche, j'ai l'impression que Soum pourrait effectivement correspondre au nom dont je suis susceptible de me souvenir.

MAÎTRE ROUX — Alors je vais vous poser quelques questions ou plus précisément vous demander vos commentaires sur des déclarations antérieures que vous avez faites, notamment chez les juges d'instruction. À la fin de votre déposition, vous avez rajouté : « Vous me demandez si en conclusion j'ai une observation générale à formuler. Je dirai simplement que le régime des Khmers rouges était un régime de terreur, et qu'il était probablement très difficile à ceux qui exerçaient une fonction dans ce régime de faire marche arrière. » Un commentaire, monsieur le Témoin ?

LE TÉMOIN — Je n'ai rien à ajouter à ce que j'ai dit au moment de l'établissement du procès-verbal de l'instruction. Je pense qu'effectivement, ça n'est plus à prouver ni à démontrer, le régime des Khmers rouges était bien un régime de terreur, et je n'ai pas vu une seule fois, en ce qui me concerne, ne serait-ce qu'à propos de ma propre libération, que les décisions importantes, de ce type par exemple, étaient prises au niveau de Douch. Il devait en référer à l'échelon supérieur.

MAÎTRE ROUX — Merci. Alors, prolongeant la question de la terreur, vous avez parlé plus particulièrement de Douch lui-même dans votre livre. Vous écrivez : « Ce qui m'attachait dans son être, que la générosité n'avait pas quitté, c'était peut-être cette présence d'une souffrance constante qui marquait sa silhouette aussi bien que ses traits. » Vous parlez de souffrance constante, vous en reparlez encore chez les juges d'instruction, à la page 5 de la cote D40, vous dites : « Je tiens à souligner que si les gardiens avaient la crainte de Douch, et les prisonniers la terreur de Douch, celui-ci était également victime de la peur, en particulier je pense que son désaccord avec Ta Mok à mon sujet a poursuivi Douch pendant des années. » Douch, avez-vous déclaré aux juges d'instruction, avait peur de Ta Mok. J'aimerais vos commentaires sur cette peur, sur cette souffrance, dont vous avez semble-t-il été le témoin.

LE TÉMOIN — Je ne peux pas tenter de me rappeler les images qui sont encore présentes à mes yeux quand je pense à M.13, sans me rappeler cette ambiance effrayante qui régnait, de peur et de mort. Ni sans me rappeler non plus à quel point cette ambiance était incarnée dans le directeur du camp, dans l'accusé, à l'époque. Elle régnait chez tout le monde, et je ne crois pas qu'il soit possible d'imaginer qu'il en soit autrement. Quand Douch partait à ses réunions puis qu'il en revenait, son visage, son expression, montrait un accablement que je ne pouvais pas ne pas relier aux différents sujets qu'il avait dû traiter en parlant avec ses supérieurs. Il était clair qu'il s'agissait chaque fois de décider du moment d'une exécution déjà prévue. Pas un seul instant dans l'existence du chef de camp, comme de ses adjoints, il n'y avait d'échanges dont le contenu avait trait à des sujets légers. Cette présence constante d'une action entièrement tournée autour de la suppression de la vie, de la torture, ne pouvait pas ne pas avoir d'autres effets que ceux qu'on ressentait tous physiquement.

MAÎTRE ROUX — [...] Monsieur Bizot, en répondant à des questions particulièrement pertinentes de certains avocats des parties civiles, et je pense notamment à la dernière question de mon confrère Maître Cannone, vous avez eu des mots d'une très grande humanité vis-à-vis des victimes. Vous avez eu également pendant tout le débat des mots d'une très grande humanité à l'égard de Douch. Je voudrais au nom de la défense vous remercier, monsieur le Témoin, de la contribution majeure que vous êtes venu apporter ici à l'œuvre de justice.

Je vous remercie monsieur le Président.

LE PRÉSIDENT — Nous vous remercions, monsieur François Bizot, pour le témoignage que vous venez d'apporter à la Chambre. La Chambre n'a pas d'autres questions. Vous êtes libre désormais d'assister aux audiences ou, si vous le désirez, de rentrer chez vous. J'invite maintenant l'Huissier à vous accompagner pour quitter le prétoire.

NOTES

I. 1963 – Sarah

1. Friedrich Hölderlin, *Les lignes de la vie* (cité *in* Ernst Jünger, *Premier journal parisien*, 23 février 1942).
2. Je traduis Nathaniel Hawthorne : " *No man can wear one face to himself and another to the multitude, without finally getting bewildered as to which one may be true.* "
3. Primo Lévi, *Les naufragés et les rescapés*, Gallimard, 1989.
4. Nic Dunlop and Nate Thayer, " Duch Confesses ", *Far Eastern Economic Review*, May 6, 1999 , vol. 170, n° 3. Voir aussi : Nic Dunlop, *The Lost Executioner – A Journey into the Heart of the Killing Fields*. Walker & Company, New York, 2005.
5. *France-Soir*, 1945, *in* Joseph Kessel, *Jugements derniers, Les procès Pétain, Nuremberg et Eichmann*, Tallandier, 2007.
6. Rudolf Hoess, *Le commandant d'Auschwitz parle*, La Découverte Poche, 2005.
7. *Ibidem*, p. 222.
8. Molière, *Le Misanthrope*, acte III, scène 4.

II. 1971 – Le révolutionnaire

1. Cf. Seconde annexe, p. 181.
2. Il résulte de cette question des fausses confessions extorquées sous la torture une incompréhension totale et générale. « Cet acharnement à démembrer le mental du suspect pour ne rien démontrer au final est hallucinant. »

(Francis Deron, *Le procès des Khmers rouges*, *Trente ans d'enquête sur le génocide cambodgien*, Gallimard, Paris, 2009, p. 51). Le problème que cela nous pose sera soulevé à maintes reprises durant le procès de Douch. On peut toutefois s'interroger sur sa pertinence, vis-à-vis d'interrogatoires dont le but, manifestement, n'était pas de faire surgir la « vérité », telle que nous l'entendons, conformément à notre bon sens et à notre raison, à partir du moment où les Khmers rouges l'avaient implicitement pensé inexistant (voir sur ce point, l'embarras que suscitent à l'accusé les questions du juge Lavergne, à propos d'une « vérité voulue par le parti » – Seconde annexe, p. 214-216).

3. L'Angkar, l'« Organisation », a désigné la partie la plus radicale du PCK (Parti communiste du Kampuchea), celle qui prendra le pouvoir. Pour préserver le secret et cloisonner l'organisation du parti, c'est sous cette appellation anonyme que les décisions étaient prises et exécutées à tous les échelons et dans tous les secteurs. Le nom assez vague donnait au pouvoir une force particulière, créant et entrenant un sentiment d'incertitude et de crainte permanent. Tous les aspects de la vie quotidienne étaient placés sous l'autorité de l'Angkar.

4. Cf. Première annexe, p. 163-167.

5. Cf. Seconde annexe, p. 211-213.

6. Titre d'un chapitre du livre d'Olga Wormser et Henri Michel, *Tragédie de la déportation*, Hachette, 1954, repris ici en opposition à cette « permanence de l'homme » que les déportés ont souvent affirmée jusque devant la mort.

7. Ho Kim Heng alias Soum. Ce nom, que j'avais oublié, m'a été communiqué au tribunal par Douch, lors de ma déposition devant les juges (cf. Première annexe, p. 168 et Seconde annexe, p. 233).

8. Christophe Colomb.

9. Cf. Emmanuel Levinas, *Ethique et infini* (1981), « La responsabilité pour autrui » (dialogues avec Philippe Nemo), Fayard, 1982.

10. Hannah Arendt, *Penser l'événement*, « Après le nazisme », traduction française Cl. Habib, Belin, 1989.

III. 1988 – Le bourreau

1. La « discipline » monastique, les « règlements » (p. *vinaya*). Aucun moine ne peut transmettre sa propre ordination avant de posséder lui-même au moins dix ans d'ancienneté.

2. Jacques Loiseleur fut capturé sur la route nationale n° 5. Il se trouva pris dans un accrochage entre les révolutionnaires et les gouvernementaux, alors qu'il transportait du poisson venant de Kompong Chhnang, pour un programme d'action humanitaire contre la faim, basé à Phnom Penh. Dans ses interviews de Battambang, Douch se souvient de ce chauffeur de camion, qui se référait beaucoup au catholicisme, avec lequel il a passé le jour de Noël. Loiseleur fut exécuté en 1973. Douch précise, à ce propos, que les instructions de Nuon Chea, après 1975, ont été de faire brûler le corps des étrangers à l'aide de pneus, afin de ne laisser aucune trace de leurs os (cf. aussi Première annexe, p. 170).

3. Anatole France, *Thaïs*, Actes Sud, 1992.

IV. 1999 – Le détenu

1. Nate Thayer. Le journaliste américain se trouvait alors à Battambang en compagnie de Douch, dont il a recueilli les toutes premières déclarations.

2. Site principal des exécutions et charnier de Tuol Sleng, à 15 km, au sud-ouest de Phnom Penh. L'endroit était connu pour son célèbre pied de Bouddha, exposé dans le monastère de la localité – Vat Chlœung Ek (la pagode du « pied unique ») où je m'étais rendu à de nombreuses reprises (cf. « La figuration des pieds du Bouddha au Cambodge », *Études asiatiques*, Berne, 1971).

3. « Apprendre à avoir peur », *Terre magazine* (mensuel d'information et de liaison de l'Armée de terre), décembre 2000 - janvier 2001.

4. Interview à la prison militaire, cf. *Derrière le Portail*, Jean Baronnet, Gloria Films/Arte, 2004.

5. « Moi aussi j'avais un cœur » (Rudolf Hoess, *Le commandant d'Auschwitz parle*, *op. cit.*).

6. Titre d'un ouvrage de Georges Bernanos (Grasset, 1931), repris ici dans une autre direction.

7. Cf. *Derrière le Portail*, *op. cit.*

8. Douch poursuit par le récit des événements qui ont précédé la mort de Lay et de Son, avec les mêmes détails que ceux qu'il livre par écrit dans ses « Mélanges », cinq ans plus tard (cf. Première annexe, p. 167-172).

V. 2009 – L'accusé

1. Cf. Première annexe, *in fine*.
2. *Le portail*, p. 218-222 (Folio).
3. Ernst Jünger, *Second journal parisien*, mars 1943.
4. Yves Bonnefoy, *Le lieu d'herbes, le lac au loin*, Galilée, 2010, p. 27.
5. *Le portail*, p. 171 (Folio).
6. Journée d'audience n° 5, 00315759, E1/9.1, 4 avril 2009. Cf. aussi Première annexe, p. 166 et Seconde annexe, p. 203-207.
7. Cf. ma déposition, Seconde annexe, p. 211-213 ; *Le Portail*, p. 184 (Folio).
8. Cf. *Le Portail*, p. 184 (Folio).
9. Ces interviews de Battambang me furent directement communiquées par Nate Thayer et sont restées inédites. Obtenus initialement dans des conditions jugées illégales, les enregistrements proprement dits n'ont jamais été produits.
10. *Le portail*, p. 145-146 (Folio), et Première annexe, p. 159.
11. Cf. Seconde annexe, p. 226-227. Nuon Chea est le numéro deux de Pol Pot, celui que Douch considère comme le véritable responsable des massacres, plus encore que Son Sen, et que j'ai identifié avec le diable dans plusieurs articles.
12. Cf. ma déposition, Seconde annexe, p. 232.
13. Thierry Cruvellier, *Le maître des aveux*, Gallimard, 2011. L'auteur a fait une analyse du procès de bout en bout, et a suivi avec beaucoup de finesse l'évolution des réactions et du comportement de l'accusé.
14. Mᵉ François Roux, plaidoirie du 26 novembre 2009.
15. Réponse de Douch au frère de Kerry Hamill, torturé et mort à Tuol Sleng.
16. Khieu Samphan, ancien président du Kampuchea démocratique ; Nuon Chea, ancien secrétaire-adjoint du PCK et numéro 2 du régime ; Ieng Sary, ancien ministre des Affaires étrangères ; Ieng Thirith, ancien ministre des Affaires sociales.

17. « Pour trouver la source du mal mis en œuvre chaque jour à S.21, nous ne devons pas regarder plus loin que nous-mêmes. » David Chandler, *S-21 ou le crime impuni des Khmers rouges*, avec une préface de François Bizot, Autrement, 2002.

18. Yves Bonnefoy, *Mes souvenirs d'Arménie*, 2010, in *Le lien d'herbes, le lac au loin*, p. 57.

19. « Mais au fond de nous, tout est accompli. », Johann Wolfgang von Goethe, *Les Idylles de Wilhelm Tischbein* (1821).

Première annexe

1. Douch emploie ici, pour me désigner, le mot *lok*, « monsieur », au lieu du terme en usage à l'époque, *mit*, « camarade ».

2. Sur la signification et les sources de cette assertion, cf. François Bizot, *La pureté par les mots*, EFEO, 1996, pp. 40-45.

3. Chay Kim Hour, alias Hok, ancien professeur de mathématiques et chef exécutif du bureau de la Région Sud-Ouest. Cf. *Le portail*, p. 425 (Folio).

4. Président de la Zone spéciale.

5. Sur cette visite clandestine de Serge Thion au Cambodge (Philip Short, *Pol Pot : anatomie d'un cauchemar*, Denoël, 2007, p. 326-327).

6. Bernard-Philippe Groslier (1926-1986), le Conservateur d'Angkor.

7. L'adjoint, l'homme qui m'accueille à l'arrivée dans le camp et dont j'ai eu si peur.

8. Cf *supra*, note 2 du chapitre III. 1988 – Le bourreau.

Seconde annexe

1. Le greffier vient m'assister pour disposer le cahier dans le bon sens et utiliser le rétroprojecteur.

CHRONOLOGIE
DES ÉVÉNEMENTS DU LIVRE

1960 : Service militaire en Algérie.

1963 : Décès de mon père.

1965 : Départ au Cambodge.

1970 : Les troupes de Hanoï envahissent Angkor.

1971 : Arrestation et détention dans un camp d'extermination Khmer rouge (M.13), dirigé par Douch. Celui-ci intervient auprès de sa hiérarchie pour me faire libérer (10 octobre - 25 décembre).

1975 : Grande offensive des Khmers rouges sur Phnom Penh et chute de la capitale. Érection d'un centre de torture dans l'ancien lycée de Tuol Sleng (S.21), placé sous la présidence de Douch.

1979 : Attaque générale du Cambodge et prise de la capitale par les Vietnamiens. Douch s'enfuit de S.21, en même temps que le reste des forces armées.

1988 : Retour au pays Khmer. Je découvre les horreurs de S.21 et reconnais Douch dans la photo de l'ancien directeur des lieux.

1999 : Arrestation de Douch à Samlaut, près de la frontière thaïe. Je rédige aussitôt les mémoires de mon incarcération dans un livre intitulé *Le portail* (2000).

2001 : Création des Chambres extraordinaires au sein des tribunaux cambodgiens (CETC) pour juger les crimes commis sous le Kampuchea démocratique.

2003 : Autorisation de visiter Douch dans sa prison militaire de Phnom-Penh. Tournage d'un documentaire autour de ma rencontre avec le tortionnaire, intitulé *Derrière le portail*.

2008 : Seconde rencontre avec Douch dans sa nouvelle prison des CETC.

2009 : Ouverture du procès public de Douch (17 février). Je dépose comme témoin de la Chambre (8 et 9 avril).

REMERCIEMENTS

Voici longtemps que je rassemble des matériaux pour nourrir quelque ouvrage hypothétique (on n'écrit jamais le livre qu'on veut), dont j'étais sûr qu'il serait voué n'importe comment aux êtres, aux livres, aux choses que je croiserais en route et qui me combleraient de leur don.

Rien n'aurait commencé, et rien n'aurait abouti, sans l'amitié d'Antoine Audouard, qui m'a accompagné, avec une infinie constance, dans les fluctuations incessantes, les retours et les péripéties de ce livre.

Susanna Lea a mis, avec acharnement, toute sa générosité pour qu'il paraisse en France et à l'étranger.

Il m'a été donné de pouvoir écrire ce livre en paix, mais en des écheveaux de pensées qui ne se sont dénoués qu'au fil des ans, en partie chez Antoine et Susanna, en partie à Chiang Mai, et en partie dans l'Yonne, chez Brigitte et Bubu, où je me suis retranché dans la serre, sous l'« œil d'onyx » d'une douce géline, qui m'a fait rêver à mes amies de M.13 en venant chaque matin se jucher sur mes genoux.

Ce livre n'aurait jamais été le même non plus sans l'éternelle présence et la force de mes trois enfants, Hélène, Charles et Laura, ni l'écoute quotidienne de chacun de mes fidèles boxers (« Avi »).

Qu'il me soit permis d'exprimer ma gratitude à l'égard de Teresa Cremisi pour sa fidélité, pour sa disponibilité.

J'éprouve une reconnaissance particulière envers Jean-Christophe Attias, Robert Baeli, Thierry Cruvellier, Marcel Lemonde, François Roux, Tzvetan Todorov.

TABLE

Mise en page par Meta-systems
59100 Roubaix

CET OUVRAGE
A ÉTÉ ACHEVÉ D'IMPRIMER
SUR ROTO-PAGE
PAR L'IMPRIMERIE FLOCH
À MAYENNE EN NOVEMBRE 2011

N° d'édition : L.01ELJN000334.A003. N° d'impression : 81065.
Dépôt légal : septembre 2011.
(Imprimé en France)